Le poulet
et ses nouvelles créations

KÖNEMANN

SOMMAIRE

Ci-contre, à gauche : chaussons au poulet épicé (page 38)
À droite, en haut : samosas au poulet (page 58) ; en bas : rumaki (page 59)

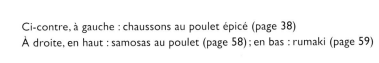

TOUT SUR LE POULET

Il n'y a pas si longtemps, on considérait que le poulet était un mets de luxe, à servir lors d'occasions particulières, et en général rôti. Aujourd'hui, nous consommons du poulet dans des plats très divers, au même titre que le poisson ou la viande rouge, c'est-à-dire comme toutes les sources de protéines nécessaires à un régime équilibré.

Faire son marché

Poulets prêts-à-cuire (P.A.C), très bon marché, poulets fermiers et poulets labellisés, poulets surgelés… Le choix s'offre à vous, selon votre goût et votre budget. En principe, les poulets dont la chair et la peau sont d'une belle couleur orangée ont été nourris au maïs, et sont les meilleurs. Les poulets surgelés ont une chair moins savoureuse. Lorsqu'on achète un poulet entier, il faut compter 1,5 kg pour 4 personnes. N'hésitez pas à demander conseil à votre boucher !

Dans les rayons ou chez le boucher, on peut également demander des morceaux de poulet : cuisses, pilons, suprêmes (ailerons et blancs), filets, ou encore, des demi-poulets. Votre boucher peut flamber, parer et vider la volaille. Enfin, on peut acheter des abattis de poulet, et de la chair de poulet hachée.

Choisissez un poulet dont la chair est légèrement rose et humide. Les poulets surgelés doivent être parfaitement compacts et hermétiquement enveloppés. Petit conseil lorsque vous faites vos courses : achetez le poulet en dernier, et laissez-le hors du réfrigérateur le moins longtemps possible. En voiture, et par temps chaud, conservez-le dans un sac de congélation. Même par temps froid, l'environnement de la voiture est suffisamment chaud pour favoriser une prolifération bactérienne qui peut être toxique.

Enfin, il est essentiel de bien conserver et de savoir préparer le poulet pour éviter toute contamination éventuelle de salmonelle, laquelle provoque une intoxication alimentaire.

Préparer le poulet

Avant tout, il faut le parer, c'est-à-dire le débarrasser des parties non comestibles, de l'excédent de gras et des tendons. On peut ôter la peau pour réduire la teneur en graisses de la volaille (les graisses sont accumulées juste sous la peau). Toutefois, cuire un poulet avec sa peau rend la chair plus tendre et plus savoureuse.

Pour préparer un poulet rôti, commencez par ôter le cou et les abats (parfois, ils sont gardés dans un petit sachet en plastique à l'intérieur, ce qui, en cas de cuisson, est désastreux !), ôtez le bréchet et toute partie graisseuse. Une paire de ciseaux de cuisine (ou à volaille) et un couteau de chef vous seront très utiles. Si vous désirez le farcir, faites-le juste avant la cuisson. Maintenez la cavité du cou à l'aide d'une brochette, mais il n'est pas nécessaire de le brider d'une manière compliquée : nouez les pilons avec du fil de cuisine, puis ramenez et repliez les ailes à l'arrière du poulet. Pour vérifier la cuisson, piquez une brochette dans la partie la plus épaisse de la cuisse. Si du jus clair s'en écoule, le poulet est prêt. Si le jus est rose, poursuivez la cuisson pendant 10 minutes environ,

LA CONSERVATION

Pour conserver un poulet cru, jetez l'emballage d'origine et ôtez tout le jus. Enveloppez-le de film alimentaire ou dans un sac en plastique, de manière lâche, et placez-le sur une assiette pour recueillir tout écoulement. Évitez de le mettre à côté d'autres nourritures, pour éviter tout contact éventuellement nocif. Un poulet cru se conserve au réfrigérateur 2 jours au maximum. Pour le congeler, placez-le dans un sac de congélation. Expulsez l'air et scellez hermétiquement le sac, puis étiquetez-le en mentionnant la date. Il est parfois judicieux de congeler le poulet en morceaux, en prévoyant la recette que vous préparerez ainsi que le nombre de convives : vous perdrez moins de temps pour le décongeler. Pour la décongélation, comptez 3 heures pour 500 g de poulet, que vous laisserez au réfrigérateur. Vous pouvez aussi décongeler de petites quantités au micro-ondes, mais nous déconseillons cette méthode pour un poulet entier, car la décongélation se ferait de manière inégale. Cuisinez le poulet dans les 12 heures. Ne laissez JAMAIS le poulet dégeler à température ambiante à cause des risques bactériens, qui peuvent provoquer une intoxication alimentaire. Pour la même raison, ne dégelez JAMAIS un poulet dans de l'eau ou sous l'eau courante. Enfin, ne recongelez JAMAIS un poulet décongelé ! Cuit, le poulet se conserve jusqu'à 3 jours au réfrigérateur, protégé par de l'aluminium ou un film alimentaire (ne pas l'envelopper d'une manière trop serrée). Pour éviter tout risque de contamination bactérienne, ne laissez pas un poulet cuit à température ambiante plus d'une heure. Les plats cuisinés à base de poulet — par exemple le poulet en cocotte — peuvent se congeler dans des récipients hermétiques ou dans des sacs de congélation, jusqu'à 2 mois. Avant de les congeler, il faut les laisser refroidir au réfrigérateur.

Avec une paire de ciseaux de cuisine, ôtez le gras et les tendons du poulet.

Repliez et ramenez les ailes à l'arrière du poulet.

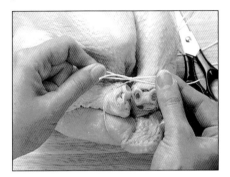

Pour brider le poulet, nouez les pilons avec du fil de cuisine.

en vérifiant de nouveau. Les temps de cuisson peuvent varier en fonction du four. Lorsque le poulet est cuit, retirez-le du four, couvrez-le légèrement de papier d'aluminium, et attendez 10 minutes avant de le découper.

Vous pouvez vérifier la cuisson des gros morceaux — cuisses, suprêmes, pilons — de la même manière, en piquant avec une brochette. Bien évidemment,

Insérez une brochette dans la cuisse. Le jus qui s'en écoule doit être clair.

assurez-vous d'une cuisson parfaite avant de servir ! Une chair encore rose n'est certes pas appétissante, mais surtout peu fiable quant à l'hygiène. Vous pouvez aussi varier le choix des morceaux : des filets dans la cuisse sont en général moins chers que des filets dans le flanc de la volaille, et tout aussi délicieux pour une recette nécessitant des morceaux finement détaillés ou hachés. On peut aussi préférer le blanc de poulet à la chair plus foncée

de la cuisse. Lorsque les recettes sont préparées avec des morceaux, cuisinez des cuisses, des pilons, des ailes, ou tout mélange correspondant au poids indiqué.

Après avoir préparé un poulet, lavez-vous soigneusement les mains à l'eau chaude et au savon, de même que tous les ustensiles que vous aurez utilisés — planche à découper, couteau, ciseaux — avant de les employer pour d'autres préparations culinaires.

LE POULET RÔTI PRÊT À CONSOMMER

Le poulet rôti tout prêt à être dégusté est très apprécié pour un repas rapide. Quelques conseils sont toutefois utiles : ne le laissez pas dans son emballage d'origine trop longtemps avant de le consommer. Comme on peut facilement acheter un demi-poulet, voire même un quart de poulet, n'hésitez pas à demander exactement la portion dont vous avez besoin, car le poulet rôti se dessèche rapidement.

Pour désosser le poulet, faites une incision au milieu.

Émincez la chair du poulet avec vos doigts ou un couteau d'office.

LE POULET FUMÉ

On peut l'acheter entier ou en morceaux. La chair est rose pâle et le goût légèrement salé. Vérifier la date limite de consommation avant l'achat. Si vous achetez des morceaux, consommez-les dans les deux ou trois jours. Conservez le poulet, couvert, au réfrigérateur. Il est délicieux en émincés, en salades, sandwiches, ou assiettes de viandes froides. En fines lamelles, il agrémente les pâtes et les préparations poêlées.

Le poulet fumé émincé est délicieux en sandwiches.

LES MORCEAUX DE POULET

Le poulet comporte de nombreux morceaux, que l'on peut préparer de mille et une manières, avec un peu d'imagination et sans se ruiner ! Comme l'illustrent ces photographies, on peut en utiliser toutes les parties. Traditionnellement, le poulet entier est rôti, tandis que les morceaux se cuisinent de multiples façons : au gril, à la poêle, rissolés, ou en plats mijotés pour des recettes plus exotiques. Hachée, la chair est délicieuse en feuilletés ou en boulettes. Le foie constitue la base de certains pâtés et terrines, et on utilise la carcasse pour les bouillons.

Poulet entier

Cuisse

Hauts de cuisse

Filets dans la cuisse

Blancs de poulet

Ailes

Pilons

Cuisses entières

Poulet haché

Aiguillettes

Suprêmes

Foies

Poulet rôti au bacon

*1 poulet moyen (1,5 kg) • 2 beaux brins de romarin frais • 2 gousses d'ail, pelées •
15 g de beurre, fondu • 4 tranches de bacon, sans la couenne • 1 cuil. à soupe d'huile •
1/2 tasse de bouillon de poulet • brins de romarin frais supplémentaires*
Pour 4 personnes

PARER le poulet. Le rincer soigneusement et le sécher avec du papier absorbant.
Placer les brins de romarin, l'ail et le beurre dans la cavité du poulet préparé. Préchauffer le four à 180 °C.

GARNIR les flancs de poulet de tranches de bacon, en formant des croisillons, et les
maintenir à l'aide de petites brochettes ou de piques à cocktail.

PLACER le poulet dans un plat à four et le badigeonner d'huile. L'enfourner pendant 1 heure 30, en l'arrosant régulièrement de bouillon. Si nécessaire, le couvrir
d'aluminium pour que le bacon ne brunisse pas trop. Laisser reposer 15 minutes avant
de découper le poulet. Ôter les brochettes, garnir de brins de romarin et servir.

Poulet frit

12 pilons de poulet (environ 1,3 kg) • *1/4 de tasse de cornflakes pilés* • *1 tasse 1/4 de farine* • *2 cuil. à soupe de bouillon de poulet en poudre* • *1 cuil. à café de sel de céleri* • *1 cuil. à café de sel d'oignon* • *1/2 cuil. à café d'ail en poudre* • *1/2 cuil. à café de poivre blanc, moulu* • *huile pour la friture*
Pour 4 personnes

CUIRE le poulet dans une grande casserole d'eau bouillante. Baisser le feu et laisser mijoter, à découvert, pendant 8 minutes environ, jusqu'à ce que le poulet soit presque cuit. Le retirer de la casserole à l'aide d'une fourchette à rôti, et l'égoutter.

MÉLANGER les cornflakes, la farine préalablement tamisée, le bouillon en poudre, le sel de céleri, le sel d'oignon, l'ail en poudre et le poivre blanc dans un saladier.

PLACER les pilons dans un grand saladier et recouvrir d'eau froide. Rouler les pilons un par un dans la préparation à base de farine, et secouer pour ôter l'excédent.

CHAUFFER l'huile à température moyenne dans une friteuse ou un faitout. Y plonger le poulet, par petites quantités. Frire à feu vif puis moyen 8 minutes environ, jusqu'à ce que le poulet soit doré et bien cuit. Le retirer avec précaution à l'aide d'une fourchette à rôti ou d'une écumoire. Égoutter sur du papier absorbant et réserver au chaud. Répéter l'opération jusqu'à ce que tous les pilons soient frits. Servir chaud, accompagné d'une salade. Pour ajouter une note colorée, garnir éventuellement d'une tomate jaune.

Pâté de foie

*125 g de beurre • 1 bel oignon, haché • 2 gousses d'ail, écrasées • 2 tranches de bacon, sans
la couenne, finement détaillées • 250 g de foie de poulet, parés • 1/4 de cuil. à café de thym
séché • poivre noir, fraîchement moulu • 2 cuil. à soupe de crème fleurette • 1 cuil. à soupe
de cognac •* **Garniture :** *60 g de beurre, fondu • 2 cuil. à soupe de ciboulette fraîche ciselée*
Pour 4 à 6 personnes, en entrée

FAIRE FONDRE le beurre dans une poêle. Ajouter les oignons, l'ail et le bacon. Cuire
jusqu'à ce que les oignons soient tendres et le bacon croustillant.
AJOUTER le foie et poursuivre la cuisson 5 à 10 minutes, en remuant de temps en
temps. Ôter du feu et incorporer les autres ingrédients. Laisser refroidir. Mixer la préparation jusqu'à obtention d'un pâté lisse. Verser dans des ramequins.
POUR PRÉPARER LA GARNITURE, verser le beurre fondu sur le pâté. Parsemer
de ciboulette et réfrigérer une nuit. Servir avec des crackers ou du pain grillé.
NOTE : ce pâté peut se conserver au réfrigérateur une semaine, protégé de film alimentaire. La plupart des pâtés sont meilleurs un à deux jours après avoir été préparés.

Hamburgers au poulet

1 kg de chair de poulet, hachée • 1 petit oignon, finement haché • 2 cuil. à café de zeste de citron • 2 cuil. à soupe de crème fraîche • 1 tasse de mie de pain frais, émiettée • 6 petits pains à hamburgers • feuilles de laitue, ciselées • 1 belle tomate, émincée • 1/2 tasse de mayonnaise

Pour 6 personnes

PLACER la chair de poulet hachée dans un saladier.

AJOUTER l'oignon, le zeste de citron, la crème fraîche et la mie de pain. Bien malaxer jusqu'à obtention d'une préparation homogène. Diviser en 6 galettes épaisses.

CUIRE les galettes au gril, ou au barbecue préalablement chauffé. Compter 7 minutes de chaque côté, en les retournant une fois. Partager les petits pains en deux, les garnir de laitue, d'une galette, d'une tranche de tomate, et de mayonnaise. Couvrir avec la moitié de pain et servir.

Salade au poulet

1 poulet rôti • 1 salade de feuilles de chêne ou 1 lolla rossa • 1/2 concombre libanais, finement émincé (ou 1 concombre ordinaire) • 1 branche de céleri, détaillée en lamelles de 1 cm • 3 oignons nouveaux, finement détaillés • 1 avocat • 2 pêches ou nectarines • 1/4 de tasse de mayonnaise crémeuse • 1/4 de tasse de yaourt nature • 1 cuil. à soupe de vinaigrette • 1/3 de tasse de noix de pécan (ou de noix) pilées
Pour 4 personnes

DÉCOUPER le poulet en morceaux, en gardant la peau. Ôter les os. Bien laver et sécher la salade. La détailler et dresser sur un plat de service. Ajouter le poulet.
GARNIR de concombre, céleri et oignons nouveaux. Émincer l'avocat et couper les pêches ou les nectarines en quartiers juste avant de servir. En garnir le poulet et les légumes.
MÉLANGER la mayonnaise, le yaourt et la vinaigrette dans un petit bol. En napper la salade et parsemer de noix. Servir immédiatement.
NOTE : on peut utiliser n'importe quel fruit de saison, par exemple des oranges émincées, du raisin vert ou noir ou des mangues. On peut également employer des fruits au sirop. Pour varier le goût, on peut remplacer les noix par des pignons grillés.

Club sandwich

*1/2 poulet rôti • 1/4 de tasse de mayonnaise • 1/4 cuil. à café de moutarde à l'ancienne •
2 tranches de bacon, sans la couenne • 6 tranches de pain complet ou de seigle, grillé et
beurré • 2 beaux morceaux de poivron séché, égoutté et émincé • 1/4 de tasse de cottage
cheese ou de fromage blanc entier • 2 cornichons, émincés • 1 belle tomate marinée, émincée • 1/2 tasse de laitue, ciselée*
Pour 2 personnes

DÉSOSSER le poulet et ôter la peau. Découper la chair en morceaux, de la taille d'une
bouchée. Dans un petit bol, mélanger le poulet, la mayonnaise et la moutarde. Faire
griller le bacon et l'égoutter sur du papier absorbant.
ÉTALER la préparation sur 2 tranches de pain. Garnir le poulet de bacon et d'une
couche de poivron.
GARNIR avec une autre tranche de pain grillé, étaler le cottage cheese, ajouter une
couche de cornichons, des tomates et de la salade. Couvrir avec la tranche restante.
INSÉRER 4 piques à cocktail, espacées régulièrement, dans les sandwiches. Trancher
délicatement le sandwich pour obtenir des quartiers.

LE POULET RÔTI ET SES VARIANTES

Salade de pâtes au poulet

Désosser et ôter la peau d'un demi-poulet rôti. Détailler la chair en morceaux de la taille d'une bouchée. Cuire 2 tasses de pâtes jusqu'à ce qu'elles soient tendres. Les égoutter et les rincer pour bien les refroidir. Ajouter 1 cuil. à soupe d'huile d'olive et mélanger. Couper 4 tranches de prosciutto (ou d'un autre jambon cru), et griller légèrement 1/3 de tasse de pignons dans une poêle. Mettre le poulet, les pâtes, le jambon et les pignons dans un grand saladier, ajouter 15 olives noires, l'équivalent d'une barquette de tomates cerises partagées en deux et 1/2 tasse de pesto. Bien mélanger puis servir.

Pour 4 personnes

Nachos au poulet

Préchauffer le four à 180 °C. Désosser et ôter la peau d'un demi-poulet rôti. Détailler la chair en morceaux de la taille d'une bouchée. Étaler 150 g de chips de maïs sur toute la surface d'un plat à four peu profond. Garnir de 450 g de purée de haricots à la mexicaine. Ajouter le poulet en une couche, puis garnir d'un poivron rouge finement émincé. Napper de 200 ml de sauce taco et parsemer d'une tasse de fromage râpé. Enfourner pendant 20 minutes environ, jusqu'à ce que le fromage ait fondu. Servir accompagné de crème fraîche épaisse, à votre goût.

Pour 4 personnes

Ci-dessous, en partant de la gauche : salade de pâtes au poulet, nachos au poulet, frittata, tacos.

Frittata

Désosser et ôter la peau d'un demi-poulet rôti. Détailler la chair en petits morceaux. Cuire 3 pommes de terre à l'eau bouillante (la chair doit rester ferme). Les laisser refroidir, puis les couper en dés ou les râper. Hacher un petit oignon rouge, une courgette et 1/2 poivron rouge. Chauffer 2 cuil. à soupe d'huile d'olive dans une poêle à fond épais, y ajouter les légumes hachés et 2 gousses d'ail écrasées. Laisser mijoter 5 minutes, ajouter les pommes de terre et poursuivre la cuisson 10 minutes. Incorporer le poulet et une tasse de fromage râpé. Bien mélanger. Battre 6 œufs avec 1/4 de tasse d'eau. Verser sur la préparation et égaliser la surface à l'aide d'une spatule. Laisser cuire à petit feu 10 à 15 minutes. Dorer la surface en plaçant la frittata sous un gril préchauffé. Servir chaud ou froid.
Pour 4 personnes

Tacos

Préchauffer le four à 150 °C. Désosser et ôter la peau d'un demi-poulet rôti. Émincer ou détailler la viande en beaux morceaux. Chauffer 1 cuil. à soupe d'huile d'olive dans une grande poêle à fond épais. Ajouter 1 oignon finement haché, 1 branche de céleri finement détaillée, et 1/2 cuil. à café de piment séché, haché (facultatif). Laisser cuire 5 minutes environ, jusqu'à ce que l'oignon soit tendre. Ajouter 400 g de tomates concassées en boîte, avec le jus, 1 cuil. à soupe de sauce Worcestershire, 1 cuil. à soupe de sauce pimentée douce. Porter à ébullition, baisser le feu et laisser mijoter à découvert, 20 minutes environ, jusqu'à ce que la préparation ait épaissi. Chauffer au four 12 coquilles à taco pendant 5 à 10 minutes, puis les garnir. Incorporer dans la poêle 400 g de haricots rouges, égouttés, et les morceaux de poulet. Ajouter 1/2 tasse de persil frais haché, puis garnir les tacos réchauffés avec de la laitue ciselée et le poulet préparé. Napper de crème fraîche épaisse. Pour varier, on peut aussi utiliser du pain pita réchauffé.
Pour 4 personnes

Sandwich au blanc de poulet

4 blancs de poulet • 4 tranches de bacon • 2 baguettes campagnardes • 4 feuilles de laitue
• 1 belle tomate, émincée • 1 avocat, émincé • 1/3 de tasse de mayonnaise
Pour 4 personnes

PARER le poulet. Ôter la couenne du bacon et le couper en deux, en diagonale.
Pour une présentation plus décorative, enfiler le bacon sur des petites brochettes.
CUIRE le poulet et le bacon au gril, au barbecue ou sur une plaque de cuisson préalablement graissés. Cuire le bacon pendant 5 minutes environ, jusqu'à ce qu'il soit
croustillant. Le retirer et le laisser égoutter sur du papier absorbant. Retourner le poulet et poursuivre la cuisson 5 à 10 minutes, jusqu'à ce qu'il soit bien cuit et doré.
DÉCOUPER le pain en 4 portions et les partager en deux. Les griller légèrement et
les beurrer, à votre goût. Garnir les moitiés de laitue, tomate, poulet et avocat. Napper
de mayonnaise puis recouvrir pour former un sandwich. Servir accompagné de bacon.

Escalopes panées

4 blancs de poulet • 2 tasses de mie de pain frais émiettée • 1/4 de tasse d'amandes pilées • 2 cuil. à soupe de persil frais, finement haché • 1/2 tasse de farine • 1 œuf, battu • 50 g de beurre • 2 cuil. à soupe d'huile d'olive
Pour 4 personnes

METTRE les blancs de poulet, un par un, entre 2 feuilles de film alimentaire, et les aplatir à l'aide d'un rouleau à pâtisserie pour qu'ils aient environ 1 cm d'épaisseur, en veillant à ne pas abîmer la chair
PLACER la mie de pain dans un plat à four peu profond. Préchauffer le four à 150 °C. Cuire la mie de pain au four 15 à 20 minutes, en remuant souvent et en veillant à ce qu'elle ne brunisse pas trop. Faire refroidir et mixer avec les amandes et le persil, environ 30 secondes, puis verser sur une plaque. Mettre la farine dans une assiette ou sur une feuille de papier sulfurisé. Y mélanger les blancs de poulet, puis les tremper dans l'œuf battu et les badigeonner de la chapelure préparée. Réfrigérer au moins 30 minutes.
CHAUFFER le beurre et l'huile dans une poêle à fond épais. Cuire les escalopes 3 à 4 minutes de chaque côté, en les retournant une fois, jusqu'à ce qu'elles soient bien croustillantes. Garnir de pois mange-tout et de maïs frais.

Curry au poulet

8 hauts de cuisse (environ 900 g) • 1/2 tasse de farine • sel et poivre • 1 cuil. à soupe d'huile d'olive • 30 g de beurre • 1 bel oignon, émincé • 2 cuil. à soupe de poudre de curry • 1/2 tasse de bouillon de poulet (voir page 62) • 400 g de maïs en grains, non égoutté • sel et poivre noir • 2 belles pommes Granny Smith, pelées, coupées en quartiers
Pour 4 personnes

PRÉCHAUFFER le four à 180 °C. Parer le poulet.
PLACER la farine, le sel et le poivre dans un sachet en plastique et ajouter le poulet. Secouer pour bien l'enrober et ôter l'excédent de farine. Chauffer l'huile et le beurre dans une poêle à fond épais. Cuire le poulet à feu moyen, en remuant de temps en temps, jusqu'à ce qu'il soit doré. Le transférer dans une cocotte allant au four.
INCORPORER l'oignon et le curry dans la poêle et mélanger à feu doux, jusqu'à ce que l'oignon soit tendre. Ajouter le bouillon et le maïs. Assaisonner et porter à ébullition.
NAPPER le poulet de la préparation. Couvrir et enfourner 20 minutes. Ajouter la pomme et poursuivre la cuisson au four pendant 20 minutes, à couvert, jusqu'à ce que le poulet soit très tendre. Servir accompagné de riz.

Mitonnée de poulet au gingembre

4 cuisses de poulet • 4 pilons de poulet • 1/2 tasse de farine • 2 cuil. à soupe d'huile d'olive, plus 2 cuil. à café • 2 poireaux moyens, émincés en gros morceaux • 1 gousse d'ail, écrasée • 1 cuil. à soupe de gingembre frais, râpé • 400 g de tomates en boîte • 1/2 tasse de bouillon de poulet (voir page 62)
Pour 4 personnes

PRÉCHAUFFER le four à 180 °C. Placer la farine, le sel et le poivre dans un sac en plastique puis ajouter le poulet. Secouer pour bien l'enrober et ôter l'excédent de farine.
CHAUFFER 2 cuil. à soupe d'huile dans un faitout. Cuire le poulet à feu moyen jusqu'à ce qu'il soit doré. Le transférer dans une cocotte allant au four.
AJOUTER 2 cuil. à café d'huile, les poireaux, l'ail et le gingembre dans le faitout, et laisser cuire à petit feu jusqu'à ce que les poireaux soient tendres. Incorporer les tomates concassées avec leur jus et le bouillon. Porter à ébullition et en napper le poulet.
COUVRIR et enfourner 1 heure environ, jusqu'à ce que le poulet soit très tendre. Garnir avec un brin de romarin et servir.

Poulet au citron et au gingembre

*4 suprêmes de poulet • **Marinade :** 2 cuil. à soupe de miel blond, tiédi • 1/2 tasse de jus de citron • 2 cuil. à soupe d'huile • 1 cuil. à soupe de sauce de soja • 1 cuil. à soupe de gingembre frais râpé • 1 cuil. à café de zeste de citron, finement râpé • 1 gousse d'ail, écrasée • 1/2 cuil. à café d'huile de sésame*
Pour 4 personnes

PRÉCHAUFFER le four à 180 °C.
PARER le poulet. Le disposer en une seule couche dans un plat peu profond, en Pyrex ou en céramique.
POUR PRÉPARER LA MARINADE, placer tous les ingrédients dans une jatte et bien mélanger. Verser la marinade sur le poulet. Couvrir le plat de film alimentaire et réfrigérer pendant 4 heures, en remuant de temps en temps. Égoutter le poulet et réserver la marinade.
PLACER le poulet sur une grille dans un plat à four. Enfourner 40 minutes environ, jusqu'à ce qu'il soit bien cuit. Arroser de marinade de temps en temps durant la cuisson. Servir accompagné de pâtes et d'une salade, selon le goût.

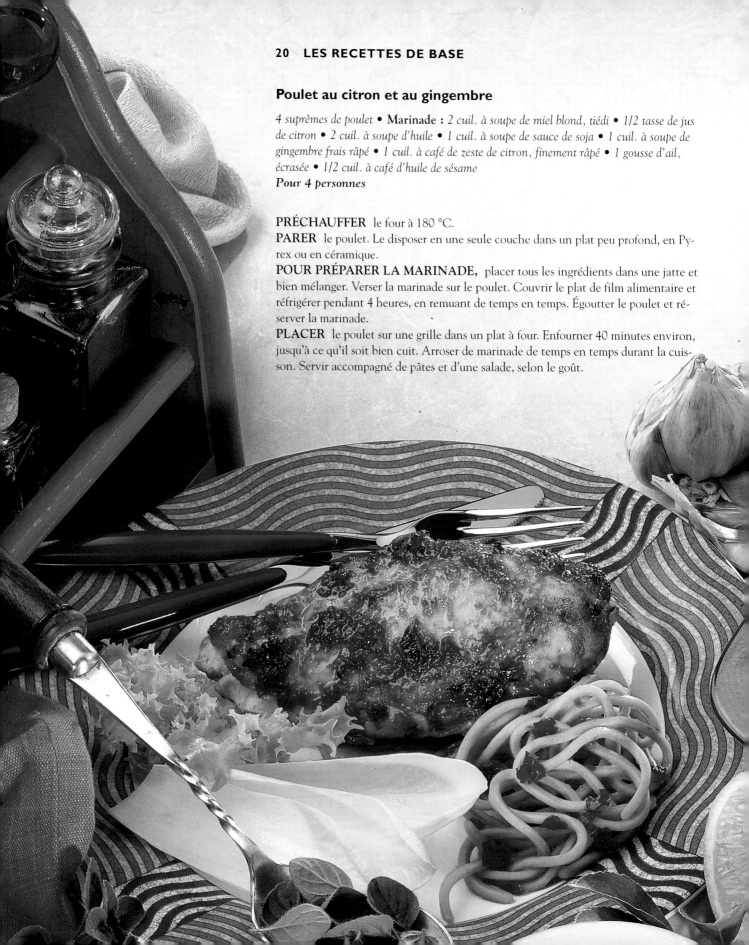

Aiguillettes panées aux herbes

4 blancs de poulet • 1 tasse 1/2 de chapelure • 1 cuil. à soupe de persil frais haché • 1 cuil. à soupe d'origan frais haché • 1/2 tasse de farine • sel et poivre • 2 œufs, légèrement battus • 1/2 tasse d'huile d'olive • Mayonnaise à l'ail : 1 tasse de mayonnaise • 1 gousse d'ail, écrasée • 2 cuil. à soupe de persil haché
Pour 4 personnes

DÉTAILLER les blancs de poulet en longues aiguillettes d'environ 2 cm de large. Dans un saladier, mélanger chapelure, persil et origan. Mettre la farine, le sel et le poivre dans un sac en plastique et y ajouter le poulet. Bien secouer pour l'enrober, puis ôter l'excédent. Tremper dans les œufs battus, puis badigeonner de chapelure. Placer sur une plaque recouverte de papier d'aluminium. Réfrigérer 30 minutes à couvert.
CHAUFFER l'huile dans une grande sauteuse et y faire revenir la moitié du poulet. Laisser cuire à feu moyen environ 3 minutes de chaque côté, jusqu'à ce que le poulet soit doré et bien cuit. Égoutter sur du papier absorbant et frire les aiguillettes restantes.
POUR PRÉPARER LA MAYONNAISE À L'AIL, mélanger tous les ingrédients dans un petit saladier jusqu'à obtention d'une texture homogène. Servir en accompagnement des aiguillettes aux herbes.

Poulet chasseur

120 g de champignons de Paris • 1 oignon moyen • 1 cuil. à soupe d'huile • 12 pilons de poulet (environ 1,3 kg) • 1 gousse d'ail, écrasée • 400 g de purée de tomates, prête à l'emploi • 1/2 tasse de vin blanc • 1/2 tasse de bouillon de poulet (voir page 62) • 1 cuil. à café d'origan séché • 1 cuil. à café de thym séché • sel et poivre
Pour 6 personnes

PRÉCHAUFFER le four à 180 °C. Détailler les champignons en quartiers et hacher finement l'oignon.

CHAUFFER l'huile dans une sauteuse. Y faire revenir les pilons de poulet par petites quantités, à feu vif puis moyen, jusqu'à ce qu'ils soient bien dorés. Les transférer dans une grande cocotte allant au four.

DORER l'oignon et l'ail dans la sauteuse, à feu moyen. En napper le poulet. Ajouter les ingrédients restants dans la sauteuse. Porter à ébullition, puis laisser mijoter 10 minutes. Verser sur le poulet. Couvrir et enfourner 35 minutes environ, jusqu'à ce que le poulet soit très tendre. Ce plat est délicieux servi avec des pâtes ou des légumes cuits à la vapeur.

Poulet Kiev

125 g de beurre, ramolli • 1 gousse d'ail, écrasée • 2 cuil. à soupe de persil frais, haché • 2 cuil. à café de jus de citron • 2 cuil. à café de zeste de citron râpé • 6 petits blancs de poulet • 1/2 tasse de farine • 2 tasses de chapelure • 2 œufs, battus • huile pour la friture • quartiers de citron pour servir

Pour 6 personnes

MÉLANGER le beurre, l'ail, le persil, le jus et le zeste de citron dans un petit bol. Transférer la préparation dans une feuille de papier d'aluminium. La plier en formant un rectangle d'environ 5 x 8 cm, et réfrigérer.

METTRE les blancs de poulet un par un entre deux feuilles de film alimentaire, et en utilisant un rouleau à pâtisserie ou un maillet à viande, les aplatir délicatement pour qu'ils aient environ 1 cm d'épaisseur, sans abîmer la chair.

DÉTAILLER la préparation au beurre en 6 morceaux de la taille d'un doigt. Déposer un morceau au centre de chaque blanc de poulet, puis les rouler. Les maintenir à l'aide de piques à cocktail. Verser la farine et la chapelure séparément sur deux plaques ou deux feuilles de papier sulfurisées.

ENROBER les blancs de poulet de farine, les tremper dans l'œuf battu et les badigeonner de chapelure. Réfrigérer au moins 1 heure. Remplir à moitié une friteuse d'huile et la chauffer à température moyenne. Y cuire le poulet par petites quantités, environ 5 minutes, pour que les morceaux soient dorés. Égoutter et ôter les piques à cocktail. Servir avec des quartiers de citron, des pâtes et une salade.

NOTE : autant utiliser le même nombre de piques à cocktail par blanc de poulet préparé, pour être sûr de ne pas en oublier avant de servir !

Poulet Maryland
(cuisses de poulet frites et garniture sucrée-salée)

4 petites cuisses de poulet • 2 tasses de bouillon de poulet • 6 grains de poivre • 1/2 oignon, pelé • 1 feuille de laurier • 1/2 tasse de farine • sel et poivre noir, fraîchement moulu • 2 tasses de chapelure • 2 œufs, battus • 2 bananes, coupées en deux • huile pour friture • 2 tomates, coupées en deux • 4 tranches d'ananas • 4 épis de maïs, cuits
Pour 4 personnes

PARER les cuisses de poulet, en gardant la peau. Chauffer le bouillon dans un faitout, ajouter les grains de poivre, l'oignon et la feuille de laurier. Laisser frémir, ajouter le poulet et mouiller à hauteur. Faire mijoter 20 minutes environ. Retirer le poulet du bouillon. Laisser refroidir, puis ôter et jeter la peau et sécher le poulet avec du papier absorbant.

MÉLANGER la farine, le sel et le poivre sur une plaque. Éparpiller la chapelure sur une assiette ou une feuille de papier sulfurisé. Passer le poulet dans la farine, le tremper dans l'œuf puis dans la chapelure. Réfrigérer au moins 1 heure.

ENROBER les bananes de farine, les tremper dans l'œuf puis dans la chapelure. Réfrigérer. Remplir à demi une friteuse d'huile et chauffer à température moyenne. Y frire les cuisses deux par deux pendant 4 à 6 minutes, jusqu'à ce qu'elles soient dorées. Les égoutter sur du papier absorbant et les réserver au chaud.

FRIRE les bananes 2 à 3 minutes, jusqu'à ce qu'elles soient bien dorées. Les égoutter sur du papier absorbant. Passer au gril les moitiés de tomates et les tranches d'ananas jusqu'à ce qu'elles soient bien chaudes. Servir les cuisses de poulet accompagnées de bananes, de tomates, d'ananas et de maïs.

Poulet à la provençale

1 cuil. à soupe d'huile d'olive • 30 g de beurre • 1,25 kg de poulet (pilons, hauts de cuisse) • 5 gousses d'ail, pelées • 4 petits oignons, détaillés en deux ou en quartiers • 2 cuil. à soupe de cognac • 3/4 de tasse de vin blanc • 400 g de tomates en boîte, écrasées en purée • 2 cuil. à soupe de concentré de tomates • 1/2 cuil. à café de thym séché • 250 g de champignons de Paris, coupés en deux • 12 olives noires • 1/2 tasse de persil frais haché
Pour 4 personnes

CHAUFFER l'huile et le beurre dans une grande sauteuse. Sécher le poulet avec du papier absorbant, et le mettre dans la sauteuse. Le faire revenir pendant 10 minutes, en remuant souvent, jusqu'à ce qu'il soit bien doré. Le retirer de la sauteuse et réserver. Ajouter l'ail et les oignons dans la sauteuse et les faire revenir jusqu'à ce qu'ils soient tendres. Les ôter de la sauteuse à l'aide d'une pelle charcutier et réserver.

RETIRER l'excédent d'huile et le réserver. Remettre le poulet dans la sauteuse. Verser le cognac, pencher la sauteuse et faire flamber le cognac. Lorsque les flammes se sont éteintes (compter quelques secondes), ajouter la préparation à l'oignon, le vin, les tomates, le concentré de tomates et le thym. Bien mélanger et laisser cuire à découvert pendant 10 minutes environ, en remuant de temps en temps, jusqu'à ce que le jus ait réduit.

CHAUFFER l'huile réservée dans une petite poêle et ajouter les champignons. Mélanger pendant 5 minutes environ, jusqu'à ce qu'ils soient tendres. Incorporer les champignons au poulet préparé.

COUVRIR hermétiquement la sauteuse et laisser mijoter 30 minutes environ, jusqu'à ce que le poulet soit tendre. Ajouter les olives et parsemer de persil. Servir accompagné de pâtes.

Coq au vin

2 cuil. à soupe d'huile végétale • 1 bel oignon, haché • 2 gousses d'ail, écrasées • 10 cuisses de poulet ou d'autres morceaux, sans la peau • 125 g de jambon, finement détaillé • 250 g de petits champignons de Paris • 2 tasses de vin rouge • 2 cuil. à soupe de Maïzena • 2 cuil. à soupe d'eau • 2 cuil. à soupe de persil frais haché
Pour 4 à 6 personnes

CHAUFFER l'huile dans une sauteuse. Y cuire les oignons jusqu'à ce qu'ils soient tendres. Ajouter le poulet et l'ail. Laisser cuire jusqu'à ce qu'il soit doré puis le réserver.
AJOUTER le jambon et les champignons. Les faire revenir 1 minute. Remettre le poulet et ajouter le vin. Porter à ébullition, baisser le feu et laisser mijoter à couvert, 1 heure.
MÉLANGER la Maïzena avec l'eau jusqu'à obtention d'une texture lisse. L'incorporer peu à peu dans la sauce au vin. Faire cuire, sans cesser de remuer, jusqu'à ébullition et épaississement. Baisser le feu et laisser mijoter 3 minutes.
AJOUTER le persil haché juste avant de servir. Accompagner de riz, de salade et de pain croustillant.
NOTE : idéalement, cette recette — un grand classique — se prépare avec une poule ou un coq, mais le poulet convient également. On peut le préparer deux jours à l'avance et le conserver au réfrigérateur. Il n'en sera que plus savoureux !

Fricassée de poulet aux abricots

1,5 kg de blancs de poulet • 1 cuil. à soupe d'huile • 120 g d'abricots secs • 1 tasse 1/2 de nectar d'abricots • 1/2 tasse de bouillon de poulet (voir page 62) • 40 g de préparation en sachet pour soupe à l'oignon • sel et poivre noir, fraîchement moulu • 1 cuil. à soupe de persil frais, finement haché

Pour 6 personnes

PARER le poulet. Découper les blancs en gros morceaux. Chauffer l'huile dans une sauteuse. Cuire le poulet par petites quantités, à feu vif puis moyen, jusqu'à ce qu'il soit bien doré. Le retirer et égoutter.

ÉMINCER les abricots secs. Remettre le poulet dans la sauteuse avec les abricots, le nectar, le bouillon et la préparation pour soupe à l'oignon. Assaisonner et mélanger. Porter à ébullition, baisser le feu et laisser mijoter 20 minutes en remuant, jusqu'à ce que le poulet soit cuit et que la sauce ait épaissi.

RETIRER du feu, incorporer le persil et servir avec des pâtes et une salade.

Poulet cordon bleu

4 blancs de poulet • Sel et poivre, fraîchement moulu • 4 fines tranches de gruyère
• 4 tranches de jambon fumé ou de pastrami • 1/3 de tasse de farine assaisonnée
• 1/2 tasse de chapelure • 1 œuf, fraîchement battu • 1/2 tasse d'huile
Pour 4 personnes

PARER le poulet. À l'aide d'un couteau d'office, entailler la partie la plus épaisse sans la
couper complètement. Ouvrir les filets et les aplatir. Assaisonner à volonté.
GARNIR l'un des côtés des blancs d'une tranche de fromage et de jambon. Replier pour
former un chausson. Verser la farine et la chapelure sur deux assiettes séparées ou sur
deux feuilles de papier sulfurisé. Enrober chaque blanc de farine et secouer l'excédent.
Les tremper dans l'œuf puis les enduire de chapelure. Placer sur une plaque recouverte de
papier d'aluminium, couvrir et réfrigérer 30 minutes.
CHAUFFER l'huile dans une sauteuse. Ajouter le poulet. Cuire à feu moyen environ
4 minutes sur chaque face, jusqu'à ce que le poulet soit bien doré et cuit. Servir accompagné de pommes de terre nouvelles cuites à l'eau et de petites courges cuites à la vapeur.

Curry de poulet à la coriandre

850 g de morceaux de poulet, désossés • 2 cuil. à café de graines de coriandre • 1 cuil. à café de grains de poivre noir • 3 à 5 piments verts frais, épépinés et hachés • 1 morceau de galanga d'1 cm ou 2 cuil. à café de poudre laos (à défaut, utiliser du gingembre frais) • 1/4 de tasse de coriandre, feuilles, tiges et racines hachées • 2 belles gousses d'ail • 1/4 de tasse d'oignons nouveaux hachés (parties vertes et blanches) • 3 cm de citronnelle, grossièrement hachée • 2 cuil. à soupe d'huile végétale • 400 ml de crème de coco • 4 feuilles de citron kaffir (ou 4 feuilles de citron vert) • 1 petit bouquet de basilic frais • 1 cuil. à soupe de sauce de poisson
Pour 6 personnes

MOUDRE les graines de coriandre et les grains de poivre dans un mixeur, un moulin à épices, ou les piler au mortier.

AJOUTER les piments, le galanga, les feuilles de coriandre, l'ail, les oignons nouveaux et la citronnelle, et préparer une pâte bien lisse.

CHAUFFER l'huile dans une sauteuse. Y incorporer la préparation et mélanger 3 à 4 minutes. Ajouter la crème de coco et les feuilles de citron puis laisser mijoter 10 minutes.

DÉTAILLER le poulet en dés ou en fines lamelles. L'incorporer à la sauce avec 1 tasse d'eau, et laisser mijoter environ 20 minutes, jusqu'à ce que le poulet soit tendre. Ajouter les feuilles de laurier et la sauce de poisson. Servir avec du riz vapeur.

Consommé de poulet au maïs

200 g de chair de poulet, hachée • 1 cuil. à café de sel • 2 blancs d'œufs • 3 tasses de bouillon de poulet (voir page 62) • 1 tasse de maïs, écrasé en purée • 1 cuil. à soupe de Maïzena • 1/2 tasse de maïs en conserve, égoutté • 2 cuil. à café de sauce de soja • 2 oignons nouveaux, détaillés en diagonale, pour la garniture
Pour 4 personnes

SALER la chair de poulet dans un saladier. Dans un petit bol, battre légèrement les blancs d'œufs jusqu'à ce qu'ils soient bien mousseux. Les incorporer au poulet.

PORTER à ébullition le bouillon dans une casserole et ajouter la purée de maïs. Délayer la Maïzena dans un peu d'eau, l'ajouter à la soupe et remuer jusqu'à épaississement.

BAISSER le feu et ajouter le poulet préparé, en l'émiettant à l'aide d'un fouet. Cuire à petit feu environ 3 minutes, sans faire bouillir. Ajouter le maïs en grains et laisser mijoter quelques secondes. Assaisonner de sauce de soja et servir, garni d'oignons émincés.

Ailes de poulet à l'américaine

8 belles ailes de poulet (environ 900 g) • *2 cuil. à café de poivre noir* • *2 cuil. à café de sel à l'ail* • *2 cuil. à café d'oignon en poudre* • *huile d'olive pour la friture* • *1/2 tasse de sauce tomate* • *2 cuil. à soupe de sauce Worcestershire* • *20 g de beurre, fondu* • *2 cuil. à café de sucre* • *sauce tabasco* • **Sauce à l'américaine :** *1/2 tasse de mayonnaise* • *1/2 tasse de crème fraîche* • *2 cuil. à soupe de jus de citron* • *2 cuil. à soupe de ciboulette hachée* • *sel et poivre blanc*
Pour 4 personnes

LAVER soigneusement les ailes de poulet et les sécher avec du papier absorbant. Couper les bouts des ailes et les jeter. Ramener les ailes en arrière et les détacher en 2 morceaux. Mélanger le poivre, le sel à l'ail et l'oignon moulu. Enduire à la main chaque aile de poulet de préparation.

CHAUFFER l'huile à température moyenne dans un faitout. Cuire les ailes par petites quantités pendant 2 minutes. Les retirer à l'aide d'une écumoire, et égoutter sur du papier absorbant. Mettre le poulet dans un saladier non métallique ou un plat peu profond. Dans un bol, mélanger les sauces, le beurre, le sucre et le tabasco et en napper le poulet. Bien mélanger. Réfrigérer, couvert, pendant plusieurs heures ou une nuit entière.

CUIRE les ailes de poulet au barbecue (le préparer et le chauffer environ 1 heure avant la cuisson) ou au gril. Disposer les ailes sur une plaque ou une grille préalablement graissée. Cuire 5 minutes environ, en les retournant et en les arrosant de marinade de temps en temps. Servir accompagné de sauce à l'américaine.

POUR PRÉPARER LA SAUCE, bien mélanger les ingrédients dans un bol.

BROCHETTES DE POULET

Satays

FAIRE TREMPER 16 brochettes en bambou dans de l'eau pour éviter qu'elles ne brûlent. Détailler 500 g d'aiguillettes de poulet et les couper en deux dans le sens de la longueur. Dans un bol peu profond, mélanger 1 cuil. à soupe de miel, 1/4 de tasse de sauce de soja, 2 cuil. à café d'huile de sésame, 1 cuil. à café de coriandre moulue, 1 cuil. à café de curcuma et 1/2 tasse à café de poudre de piment. Enfiler les aiguillettes sur les brochettes et les tremper dans la marinade. Couvrir et réfrigérer au moins 2 heures. Pour préparer la sauce, faire revenir un petit oignon finement haché dans 1 cuil. à soupe d'huile jusqu'à ce qu'il soit bien tendre, puis incorporer 1/2 tasse de beurre de cacahuètes, 2 cuil. à soupe de sauce de soja, 1/2 tasse de crème de coco et 2 cuil. à soupe de sauce pimentée douce. Laisser mijoter jusqu'à obtention d'une sauce lisse et chaude. Cuire les brochettes au gril préchauffé pendant 5 à 7 minutes, en les tournant et en les arrosant fréquemment de marinade. Servir accompagné de sauce aux cacahuètes encore chaude.

Pour 16 brochettes

Kebabs

PARER 8 filets de poulet dans la cuisse et les détailler en petits dés. Dans un bol en verre ou en céramique peu profond, mélanger 1 oignon finement haché, 1/2 tasse d'huile, 2 cuil. à soupe de thym frais haché, 1 cuil. à café de paprika, 1 feuille de laurier émiettée, du sel et du poivre noir fraîchement moulu. Détailler 4 courgettes moyennes en morceaux et laver l'équivalent d'une barquette de tomates cerises. Enfiler le poulet sur des brochettes, en alternant avec des courgettes et des tomates. Laisser tremper dans la marinade au moins 2 heures. Égoutter et cuire au gril préchauffé pendant 10 à 12 minutes, en tournant les brochettes et en les arrosant fréquemment de marinade.

Pour environ 14 brochettes

Yakitori

FAIRE TREMPER 12 brochettes de bambou dans de l'eau pour qu'elles ne brûlent pas. Parer 6 filets de poulet dans la cuisse et les détailler en petits dés. Laver et sécher 250 g de petits champignons de Paris, puis émincer 6 oignons nouveaux en petites lamelles. Enfiler le poulet, les champignons et les oignons sur les brochettes. Dans un bol, mélanger 1/2 tasse de sauce de soja légère, 1/3 de tasse de mirin (on en trouve dans les épiceries japonaises) ou de xérès sec, 2 cuil. à soupe de cassonade douce, et 1 à 2 gousses d'ail écrasées. Enrober les brochettes de sauce et les laisser mariner au moins 1 heure. Les cuire au gril préchauffé pendant 8 à 10 minutes, en les retournant et en les arrosant fréquemment de marinade.

Pour 12 brochettes

Teriyaki

FAIRE TREMPER 12 brochettes de bambou dans de l'eau pour éviter qu'elles ne brûlent. Détailler 500 g d'aiguillettes de poulet et les couper en deux dans le sens de la longueur. Dans un bol peu profond, mélanger 2 cuil. à soupe d'huile, 1/4 de tasse de sauce de soja légère, 4 cuil. à soupe de mirin (on en trouve dans les épiceries japonaises) ou de xérès sec, 2 cuil. à soupe de cassonade douce, 1 à 2 gousses d'ail et 2 cuil. à café de gingembre frais râpé. Ajouter le poulet, bien mélanger, couvrir et réfrigérer au moins 2 heures. Détailler 1 poivron rouge en petits cubes et 4 oignons nouveaux en petites lamelles. Enfiler le poulet sur les brochettes, en alternant avec le poivron et l'oignon nouveau. Les badigeonner d'huile et les cuire au gril préchauffé pendant 6 à 8 minutes, en les retournant et en les arrosant fréquemment de marinade.
Pour 12 brochettes

Brochettes à l'aigre-doux

PARER 6 filets de poulet dans la cuisse et les détailler en petits cubes. Égoutter 400 g d'ananas en morceaux, non sucré, et réserver 1/4 de tasse de jus pour la marinade. Dans un bol peu profond, mélanger 1/4 de tasse d'huile, 1/4 de tasse de jus d'ananas, 1 cuil. à soupe de sauce de soja légère, 1 à 2 gousses d'ail écrasées, 2 cuil. à café de gingembre frais râpé, 1 cuil. à café de poudre de curry, 1 cuil. à café de coriandre moulue, 1 cuil. à café de cumin moulu et 1 cuil. à café d'origan moulu. Détailler 1 poivron vert et 1 poivron rouge en petits cubes. Enfiler le poulet sur des brochettes métalliques, en alternant avec le poivron et l'ananas. Les laisser tremper dans la marinade au moins 2 heures. Les badigeonner d'huile et les cuire au gril préchauffé pendant 10 à 12 minutes.
Pour environ 12 brochettes

En partant de la gauche : satays, yakitori, kebabs, teriyaki, brochettes à l'aigre-doux

Poulet en crapaudine

1 petit poulet (1,4 kg) • 60 g de beurre • 4 oignons nouveaux, finement hachés • 1 gousse d'ail, écrasée • 1 tasse de mie de pain frais, émiettée • 1/2 tasse de ricotta • 1/3 de tasse de parmesan frais râpé • 1 œuf, légèrement battu • 1 cuil. à café 1/2 d'origan séché • 1/2 tasse de persil frais haché • 2 cuil. à soupe d'huile d'olive
Pour 4 personnes

INCISER le poulet sur le dos dans le sens de la longueur, l'ouvrir et l'aplatir avec les mains. Décoller légèrement la peau de la chair en glissant la main entre les deux.
FAIRE FONDRE le beurre dans une sauteuse. Ajouter les oignons nouveaux et l'ail. Les faire revenir 2 à 3 minutes, jusqu'à ce qu'ils soient tendres. Retirer du feu et incorporer la mie de pain émiettée, les fromages, l'œuf, 1/2 cuil. à café d'origan et de persil. Préchauffer le four à 220 °C (190 °C pour un four à gaz).
GLISSER la farce sous la peau, en l'insérant jusqu'aux cuisses et la poitrine. D'une main, bien répartir la farce sous la peau tout en la modelant avec l'autre main au-dessus de la peau. Lorsque la farce est bien répartie, lisser la peau extérieure avec les mains. Maintenir les cuisses avec de la ficelle ou des brochettes et ramener les ailes en dessous en les pliant.
BADIGEONNER le poulet avec l'huile mélangée au reste d'origan. Placer sur une grille, au-dessus d'une lèchefrite. Enfourner 10 minutes. Baisser le four à 180 °C et poursuivre la cuisson 40 à 45 minutes. Arroser le poulet de jus de temps en temps. Le couvrir de papier d'aluminium durant les dernières 15 minutes si la peau devient trop brune.
NOTE : le poulet en crapaudine cuit très bien au barbecue (la cuisson s'effectue de manière régulière). Il se découpe également très facilement.

Poulet tandoori

1 petit poulet (1,4 kg) ou 1 kg de pilons de poulet • 2 cuil. à soupe de vinaigre de malt ou de jus de citron • 1 cuil. 1/2 à café de piment moulu • 1 cuil. 1/2 à café de paprika doux moulu • 2 cuil. à café de coriandre moulue • 2 cuil. à café de cumin moulu • 1 cuil. à café de garam masala • 1 cuil. à soupe de gingembre finement râpé • 1 cuil. à café d'ail écrasé • 1 cuil. à café de sel • 1/3 de tasse de yaourt nature • 3 cuil. à soupe de ghee fondu (beurre clarifié) ou d'huile
Pour 4 personnes

LAVER le poulet à l'eau froide. Le sécher avec du papier absorbant
MÉLANGER le vinaigre, le piment, le paprika, la coriandre, le cumin, le garam masala, le gingembre, l'ail, le sel et le yaourt dans un grand saladier en verre ou en céramique.
INCISER le poulet sur le dos dans le sens de la longueur, l'ouvrir et l'aplatir avec les mains. Inciser la peau à plusieurs endroits. Placer le poulet sur une plaque et le badigeonner entièrement de marinade, en la faisant pénétrer dans la chair. Couvrir de film alimentaire et réfrigérer pendant 4 heures.
PLACER le poulet sur une plaque de gril froide, légèrement huilée. Le badigeonner de ghee fondu. Le cuire au gril à température moyenne, environ 20 minutes, en le retournant à mi-cuisson et en le badigeonnant de temps en temps avec la marinade restante. Le détailler en portions avant de servir. Le poulet tandoori s'accompagne délicieusement de riz ou de pains indiens tels que le naan ou le chapatti, avec des quartiers de citron.

Fajitas au poulet

4 blancs de poulet • 2 cuil. à soupe d'huile d'olive + 1 cuil. à soupe supplémentaire
• 1/4 de tasse de jus de citron vert • 2 gousses d'ail, écrasées • 1 cuil. à café de cumin moulu
• 1/4 de tasse de feuilles de coriandre fraîches hachées • 8 tortillas (galettes de blé ou de maïs
mexicaines) • 2 oignons moyens, émincés • 2 poivrons verts moyens, détaillés en fines lamelles
• 1 tasse de fromage cheddar râpé • 1 bel avocat, émincé • 1 tasse de salsa à la tomate, prête à
l'emploi (sauce mexicaine)
Pour 4 personnes

PARER le poulet et le détailler en lamelles. Les placer dans un plat non métallique.
Dans une jatte, mélanger l'huile, le jus de citron vert, l'ail, le cumin et la coriandre. En
napper le poulet. Réfrigérer, couvert, plusieurs heures ou une nuit. Préchauffer le four à
180 °C.
ENVELOPPER les tortillas dans de l'aluminium et les enfourner 10 minutes. Chauffer
l'huile dans une grande poêle. Y faire revenir les oignons et les poivrons pendant environ
5 minutes, jusqu'à ce qu'ils soient tendres. Transférer sur une assiette et réserver au chaud.
CUIRE le poulet et la marinade par petites quantité dans la poêle, pendant 5 minutes
environ, jusqu'à ce que la chair soit tendre. Mettre le poulet, les légumes et les tortillas
dans un plat de service. Composer des fajitas individuelles en répartissant le poulet, les
oignons, les poivrons cuits, le fromage râpé et l'avocat émincé au centre des tortillas.
Garnir de salsa et replier les tortillas pour envelopper la farce.

Paëlla au poulet

1 tasse de farine • 1 cuil. à café de poivre noir moulu • 6 filets de poulet dans la cuisse (environ 250 g), en morceaux • 2 cuil. à soupe d'huile d'olive • 2 gousses d'ail, écrasées • 1 bel oignon rouge, haché • 1 poivron rouge ou vert, émincé • 1 courgette, émincée • 1 tasse de riz brun • 400 g de tomates en boîte • 2 tasses de bouillon de poulet (voir page 62) • 1/2 tasse de petits pois surgelés • 1 cuil. à soupe de basilic frais haché • 1 cuil. à soupe de persil frais haché
Pour 4 personnes

MÉLANGER   la farine et le poivre dans un sac en plastique. Ajouter le poulet et secouer pour bien l'enrober. Ôter l'excédent de farine.

CHAUFFER   l'huile dans une sauteuse et y faire revenir le poulet à feu vif, puis moyen, jusqu'à ce qu'il soit bien doré. L'ôter de la poêle et l'égoutter sur du papier absorbant.

AJOUTER   l'ail, l'oignon, le poivron et la courgette dans la poêle. Cuire à feu moyen 3 minutes. Incorporer le riz, les tomates concassées avec leur jus et le bouillon. Couvrir, porter à ébullition et mélanger une fois pour que le riz n'attache pas. Baisser le feu et laisser mijoter à couvert pendant 40 minutes, jusqu'à ce que le jus ait été absorbé.

AJOUTER   les petits pois, le basilic, le persil et le poulet, et mélanger. Laisser cuire 5 minutes environ, jusqu'à ce que la paëlla soit bien chaude.

Chaussons au poulet épicé

2 cuil. à soupe d'huile • 1 petit oignon, finement haché • 1 gousse d'ail, écrasée • 1/2 cuil. à café de coriandre, moulue • 1/2 cuil. à café de cumin, moulu • 1/4 de cuil. à café de curcuma, moulu • 1/4 de tasse de piment en poudre • 300 g de chair de poulet, hachée • 1/3 de tasse de petits pois surgelés • 1 cuil. à soupe de coriandre fraîche, finement hachée • Sel, à volonté • 5 feuilles de pâte feuilletée, prête à l'emploi • 1 œuf, légèrement battu
Pour 20 chaussons

PRÉCHAUFFER le four à 180 °C. Couvrir une plaque de four de papier d'aluminium.
CHAUFFER l'huile dans une sauteuse. Y faire revenir l'oignon et l'ail, et cuire à feu moyen 2 minutes, jusqu'à ce que l'oignon soit tendre. Ajouter la coriandre, le cumin et le curcuma, la poudre de piment, puis poursuivre la cuisson 1 minute, en remuant.
INCORPORER le poulet et cuire 10 minutes environ en remuant, jusqu'à ce que le jus se soit évaporé. Ajouter petits pois, coriandre et sel. Retirer du feu et laisser refroidir.
DÉCOUPER des cercles de 10 cm dans la pâte feuilletée à l'aide d'un couteau et d'une soucoupe. Déposer une cuillère à soupe de préparation au centre de chaque cercle. Replier la pâte pour former un chausson et pincer les bords. Les disposer sur la plaque et les badigeonner d'œuf battu. Enfourner 15 minutes, jusqu'à ce qu'ils soient bien dorés.

Poulet froid épicé et salade de riz

*1 poulet moyen (1,5 kg), cuit • 1 cuil. à soupe d'huile d'olive • 1 oignon, finement haché • 2 cuil. à café de pâte de curry forte • 1 belle tomate, pelée, épépinée et finement hachée • 1/2 tasse de vin blanc • 2 cuil. à soupe de chutney • 1 cuil. à soupe de confiture d'abricots • 1 cuil. à café de jus de citron • 1/3 de tasse de mayonnaise • 1/3 de tasse de yaourt nature • **Salade de riz :** 3 tasses de riz long grain, cuit • 1 concombre libanais, pelé, épépiné et finement détaillé (ou 1 petit concombre ordinaire) • 1/2 poivron rouge, finement détaillé • 3 cuil. à soupe de menthe fraîche hachée • 1/4 de tasse de vinaigrette*
Pour 4 à 6 personnes

ÔTER la peau du poulet et le désosser. Émincer la chair. Chauffer l'huile dans une sauteuse et y faire revenir l'oignon environ 5 minutes. Ajouter la pâte de curry et poursuivre la cuisson pendant 2 minutes.
INCORPORER les tomates et le vin. Porter à ébullition, puis laisser mijoter 10 minutes. Ajouter le chutney, la confiture et le jus de citron. Mélanger et poursuivre la cuisson 5 minutes. Retirer du feu et laisser refroidir. Incorporer ensuite la mayonnaise mélangée au yaourt. Ajouter le poulet émincé et le mélanger pour bien l'enrober.
POUR PRÉPARER LA SALADE, bien mélanger tous les ingrédients dans un grand saladier. En garnir un grand plat de service et disposer le poulet au centre.
NOTE : servir à température ambiante. On peut également utiliser un poulet rôti, sans la peau, désossé et émincé. Pour peler une tomate, l'entailler à la base en formant une croix, la plonger dans de l'eau bouillante pendant 30 secondes, laisser refroidir, et peler en partant de la croix.

Tourte de poulet à l'ancienne

*1 beau poulet (1,8 kg) • 1 cuil. à café de sel • 1/4 de cuil. à café de poivre • 1 feuille de laurier • 1 tasse 1/2 d'eau • 2 carottes moyennes, très finement détaillées • 60 g de beurre • 1 gousse d'ail, écrasée • 1/2 tasse de farine • 1 tasse 1/4 de petits pois surgelés • 2 cuil. à soupe de persil frais, finement haché • 2 à 3 cuil. à café d'estragon frais, haché • 1/3 de tasse de crème fleurette • 2 cuil. à soupe de farine, en supplément • **Garniture :** 2 tasses de farine avec levure incorporée • 1 pincée de sel • 150 g de beurre froid, en petits morceaux • 2/3 de tasse de lait • 1 œuf, légèrement battu • 1 cuil. à soupe d'eau • 1 à 2 cuil. à soupe de graines de sésame*
Pour 4 à 6 personnes

METTRE le poulet dans un grand faitout. Saler, poivrer, ajouter le laurier, l'eau et les carottes, et porter à ébullition. Baisser le feu et laisser mijoter, à couvert, 45 minutes environ, jusqu'à ce que le poulet soit tendre. Retirer du feu, transférer le poulet dans un plat et le réfrigérer. Tamiser le jus dans un bol, ôter la feuille de laurier et les carottes et laisser refroidir à température ambiante pendant environ 1/2 heure, en remuant fréquemment. Réfrigérer jusqu'à ce que la graisse se soit solidifiée en surface et écumer ; garder 1 cuil. à soupe de graisse. Ôter la peau du poulet et la jeter. Détacher la chair de la carcasse et la détailler en morceaux de la taille d'une bouchée.

FAIRE FONDRE le beurre et la graisse réservée dans une sauteuse. Y faire revenir l'oignon et l'ail environ 2 minutes, jusqu'à ce que l'oignon soit tendre. Ajouter la farine et poursuivre la cuisson à feu moyen en remuant, pendant 1 minute. Incorporer le jus tamisé, en remuant constamment, à feu moyen, jusqu'à ébullition et épaississement. Retirer du feu et ajouter les petits pois, le poulet, le persil et l'estragon. Incorporer la crème mélangée à la farine supplémentaire. Laisser cuire à feu moyen jusqu'à ébullition et épaississement. Rectifier l'assaisonnement si nécessaire. Verser dans un moule d'une capacité de 2,5 litres. Préchauffer le four à 210 °C (190 °C pour un four à gaz).

POUR PRÉPARER LA GARNITURE, mettre la farine, le sel et le beurre dans un mixeur. Mélanger 20 à 30 secondes, jusqu'à obtention d'une texture friable et fine. Verser le lait et continuer à mixer pour obtenir une pâte homogène. Travailler la pâte sur un plan de travail fariné. La pétrir doucement pendant 1 minute environ, jusqu'à ce qu'elle soit lisse. Rouler la pâte en fonction du moule et lui donner une épaisseur de 0,5 cm.

DÉCOUPER la pâte en lamelles dans le sens de la longueur. En garnir la préparation de poulet, en pressant des lamelles de pâte sur le pourtour du moule. Avec le restant de pâte, former des croisillons sur la surface de la tourte. Dorer la pâte avec le mélange d'œuf battu et d'eau. Pincer les bords pour les sceller. Badigeonner avec le mélange à l'œuf et parsemer de graines de sésame. Enfourner environ 25 à 30 minutes, jusqu'à ce que la pâte soit croustillante et dorée.

Ailes de poulet caramélisées au miel

12 ailes de poulet (environ 1,2 kg) • 2 cuil. à soupe de sauce de soja • 2 cuil. à soupe de sauce hoisin • 1/4 de tasse de sauce tomate • 1/4 de tasse de miel • 1 cuil. à soupe de vinaigre de cidre • 2 gousses d'ail, écrasées • 2 cuil. à soupe de graines de sésame • 1/2 cuil. à café de poudre cinq-épices chinoises • sel, à volonté • 1 cuil. à soupe d'huile de sésame
Pour 4 personnes

LAVER les ailes de poulet et les sécher avec du papier absorbant. Replier les bouts d'ailes en dessous. Mélanger les autres ingrédients dans un saladier.
INCORPORER les ailes dans la marinade, et bien mélanger pour les enrober. Réfrigérer, couvert d'un film plastique, pendant 2 heures ou une nuit entière, en remuant de temps en temps. Égoutter le poulet et réserver la marinade. Préchauffer le four à 180 °C.
DISPOSER le poulet sur une grille au-dessus d'une lèchefrite. Enfourner 35 à 40 minutes, en retournant les ailes et en les arrosant de marinade réservée de temps en temps.

Ailes de poulet épicées

12 ailes de poulet (environ 1,2 kg) • 1 cuil. à soupe d'huile • 1/4 de tasse de sauce barbe-cue • 1/2 tasse de sauce tomate • 1/4 de tasse de xérès sec • 2 cuil. à café de sauce Wor-cestershire • 2 cuil. à café de sauce pimentée douce
Pour 24 morceaux

LAVER les ailes de poulet et les sécher avec du papier absorbant. Couper les extrémités des ailes et les jeter. Replier chaque aile en arrière pour la partager en deux morceaux.
BIEN MÉLANGER les autres ingrédients dans un grand saladier. Y incorporer les ailes de poulet et mélanger pour bien les enrober de marinade. Couvrir et réfrigérer pendant 3 heures ou une nuit entière.
ÉGOUTTER les ailes de poulet et réserver la marinade. Préchauffer le four à 180 °C. Disposer le poulet en une seule couche dans un grand plat à four peu profond. Couvrir et enfourner 30 minutes. Ôter le couvercle et poursuivre la cuisson 15 minutes environ, jusqu'à ce que la chair soit très tendre. Durant la cuisson, badigeonner de temps en temps de marinade réservée. Servir chaud, lors d'un repas léger ou en amuse-gueule.

Boulettes de poulet parfumées

500 g de poulet maigre, haché • 3 cm de citronnelle, finement hachée • 2 oignons nouveaux, finement émincés • 2 cuil. à soupe de coriandre fraîche, ciselée • 2 cuil. à soupe de farine • 2 cuil. à soupe de noix de coco, séchée • 2 à 3 cuil. à café de sauce pimentée douce • 2 cuil. à soupe de sauce de poisson • 1 petit œuf, légèrement battu • 3 tasses d'eau • 1/3 de tasse de sauce de soja • 1/4 de tasse de sucre • 2 cuil. à soupe de sauce de poisson supplémentaires • 2 cuil. à soupe de xérès sec
Pour 4 personnes

METTRE le poulet, la citronnelle, les oignons nouveaux et la coriandre dans un grand saladier. Ajouter la farine, la noix de coco, la sauce pimentée, la sauce de poisson et l'œuf. Bien mélanger les ingrédients puis former des boulettes.

VERSER l'eau, la sauce de soja, le sucre, la sauce de poisson supplémentaire et le xérès dans une poêle. Porter à ébullition. À l'aide de 2 cuillères à soupe humides, faire tomber les boulettes dans le liquide et laisser mijoter 4 à 5 minutes. Il vaut mieux cuire les boulettes par petites quantités.

FAIRE FRÉMIR rapidement la sauce restante, pendant quelques secondes, jusqu'à ce qu'elle ait légèrement épaissi. Servir les boulettes avec des pâtes cuites à l'eau et napper de sauce.

Poulet au raisin

4 blancs de poulet • 1/3 de tasse de farine assaisonnée • 1 cuil. à soupe d'huile • 20 g de beurre • 1/2 tasse de vin blanc sec • 1/2 tasse de crème fleurette • 1 cuil. à soupe de ciboulette fraîche, finement ciselée • 4 fines tranches de prosciutto • 1 tasse de raisin frais, sans pépins
Pour 4 personnes

PARER le poulet. Verser la farine dans une assiette ou sur une feuille de papier sulfurisé. Y passer chaque filet pour les enrober de farine. Secouer l'excédent. Chauffer l'huile et le beurre dans une sauteuse de taille moyenne. Ajouter le poulet. Cuire à feu moyen pendant 3 à 4 minutes sur chaque face, jusqu'à ce que le poulet soit cuit. Le retirer de la poêle, couvrir de papier d'aluminium et réserver au chaud. Ôter la graisse de la sauteuse.

AJOUTER le vin, la crème et la ciboulette dans la sauteuse. Porter à ébullition, puis baisser le feu et laisser mijoter environ 4 minutes, jusqu'à ce que le jus ait réduit de moitié.

ENVELOPPER chaque blanc de poulet d'une tranche de prosciutto. Remettre dans la sauteuse et ajouter le raisin. Laisser cuire 1 minute. Servir accompagné de sauce, de raisin, et éventuellement de pâtes ou de légumes.

Terrine de poulet

12 pruneaux, dénoyautés • 12 moitiés d'abricots secs • 2 cuil. à soupe de cognac • 30 g de beurre • 1 poireau moyen, détaillé en grosses lamelles • 500 g de filet de poulet, dans la cuisse • 250 g de blancs de poulet, coupés en lamelles • 2 œufs, légèrement battus • 1 tasse 1/2 de mie de pain frais, émiettée • 1 cuil. à soupe de thym-citron frais ciselé • 1/4 de tasse de crème fleurette • sel et poivre noir, fraîchement moulu • 12 tranches de prosciutto • 12 amandes blanchies
Pour 1 terrine, environ 16 tranches

PRÉCHAUFFER le four à 180 °C. Mettre les pruneaux et les abricots dans un saladier, arroser de cognac et laisser reposer 15 minutes. Faire fondre le beurre et y faire revenir le poireau à feu doux. Laisser refroidir.

HACHER les filets de poulet au mixeur. Ajouter les œufs et continuer à mixer jusqu'à obtention d'une préparation lisse. Verser dans un saladier et incorporer la mie de pain émiettée, le thym-citron, la crème, le sel et le poivre. Bien mélanger.

GARNIR le fond et les côtés d'un moule à terrine ou à cake (de 13 x 23 cm environ) avec des tranches de prosciutto, en les faisant se chevaucher. Prendre 1/3 de la préparation au poulet et en étaler une couche au fond et sur les côtés de la terrine. Couvrir avec une couche de pruneaux, abricots, lamelles de blanc de poulet, cognac parfumé aux fruits, poireau et amandes. Napper d'une dernière couche de préparation au poulet et garnir de tranches de prosciutto.

COUVRIR la terrine avec du papier d'aluminium puis la placer dans une cocotte allant au four, à demi pleine d'eau. Enfourner 1 heure, jusqu'à ce que la préparation soit ferme. Laisser refroidir puis ôter l'aluminium. Couvrir de film alimentaire. Réfrigérer toute la nuit, en mettant des poids sur le plastique pour tasser la terrine. La démouler en la retournant sur le plat de service. Découper en tranches et servir avec du pain frais et une salade.

Ravioli au poulet et sauce aux champignons

250 g de blancs de poulet • 1 oignon nouveau, finement haché • 1 blanc d'œuf, légèrement battu • 3/4 de tasse de crème fleurette • sel et poivre blanc • 60 feuilles de pâte à wonton (ravioli chinois), carrées • **Sauce aux champignons :** *40 g de beurre • 125 g de champignons de Paris, finement émincés • 2 cuil. à café de jus de citron • 1 cuil. à soupe de cognac • 1 cuil. à soupe de ciboulette, finement ciselée • 3/4 de tasse de crème fleurette • sel et poivre*
Pour 4 à 6 personnes

PARER le poulet. Le détailler grossièrement en petits morceaux. Dans un mixeur, hacher finement la chair de poulet et les oignons nouveaux. Ajouter le blanc d'œuf et mixer, jusqu'à obtention d'une préparation lisse. La transférer dans un saladier de taille moyenne. Couvrir de film alimentaire et réfrigérer au moins 1 heure.

INCORPORER peu à peu à la crème dans la préparation au poulet, en mélangeant à l'aide d'une cuillère en bois. Assaisonner, puis étaler des cuillerées de préparation (compter 1 cuil. 1/2 à café à chaque fois) sur la moitié des feuilles à wonton, en les disposant au centre. Badigeonner les bords d'œuf battu et replier les feuilles, en scellant bien les bords. Découper les ravioli en cercles, en utilisant par exemple un emporte-pièce à beignet.

CUIRE les ravioli dans une grande casserole d'eau bouillante et salée, pendant 4 à 5 minutes, en deux ou trois fois. Les égoutter et les ajouter à la sauce aux champignons. Parsemer de parmesan frais râpé.

POUR PRÉPARER LA SAUCE, faire fondre le beurre dans une sauteuse. Ajouter les champignons et mélanger à feu vif jusqu'à ce qu'ils soient tendres. Incorporer le cognac, la crème, et porter à ébullition. Saler et poivrer à volonté, et laisser mijoter 1 minute.

Poulet fumé et salade aux poires

1 beau poulet fumé • 2 poires fermes et mûres, émincées • 2 branches de céleri, émincées en diagonale • 3 oignons nouveaux, émincés en diagonale • 1/2 tasse de cerneaux de noix, partagés en deux • 1 tasse de feuilles de roquette
*• **Assaisonnement au citron :** 1/2 tasse d'huile d'olive légère • 1/4 de tasse de jus de citron • 1 cuil. à soupe de miel clair • sel et poivre concassé, à volonté*
Pour 4 à 6 personnes

ÔTER la peau du poulet et le désosser. Le détailler en fines lamelles de la taille d'une bouchée. Les placer dans un grand saladier avec la poire, le céleri, les oignons nouveaux et les noix.

NAPPER la salade d'assaisonnement au citron, et mélanger délicatement les ingrédients pour bien les enrober de sauce.

DRESSER la salade sur des assiettes individuelles et servir garni de feuilles de roquette.

POUR PRÉPARER L'ASSAISONNEMENT, placer tous les ingrédients dans un petit bol et bien les mélanger au fouet.

Blancs de poulet à l'estragon

4 blancs de poulet • 1 cuil. à soupe d'huile • 60 g de beurre • 1 tasse de jus de pommes • 1 cube de bouillon de poulet, émietté • 2 cuil. à soupe d'estragon frais haché • poivre, fraîchement moulu
Pour 4 personnes

PARER le poulet. Chauffer l'huile et 30 g de beurre dans une sauteuse de taille moyenne. Ajouter le poulet et le faire revenir à feu moyen, environ 3 minutes sur chaque face, jusqu'à ce qu'il soit presque cuit. Retirer le poulet, le couvrir de papier d'aluminium et réserver au chaud. Égoutter l'huile de la sauteuse.
AJOUTER le jus de pommes, le cube de bouillon et l'estragon dans la sauteuse. Porter à ébullition, baisser le feu et laisser mijoter jusqu'à ce que la sauce ait réduit de moitié. Tamiser la sauce puis la verser de nouveau dans la sauteuse.
INCORPORER le beurre restant dans la sauce. Bien mélanger, assaisonner, puis remettre le poulet et laisser cuire pendant 1 minute pour bien réchauffer le tout. Servir accompagné de petits choux-fleurs et de courgettes détaillées en lamelles selon le goût.

Ci-dessous, en partant de la gauche : blancs de poulet à l'estragon, émincé de poulet aux tomates séchées et aux pignons, blancs de poulet sauce crémeuse aux champignons.

Émincé de poulet aux tomates séchées et aux pignons

*4 blancs de poulet (environ 500 g) • 1 cuil. à soupe d'huile d'olive • 250 g de petites pommes de terre nouvelles • 200 g de petits haricots verts, coupés en deux • 12 tomates séchées au soleil, émincées • 1/4 de tasse de pignons grillés • 2 cuil. à soupe de feuilles de basilic frais haché • **Assaisonnement :** 1/3 de tasse d'huile d'olive vierge • 1 cuil. à soupe de vinaigre balsamique • 1 cuil. à café de moutarde de Dijon • sel et poivre noir, fraîchement moulu, à volonté*
Pour 4 personnes

PRÉCHAUFFER le four à 220 °C (190 °C pour un four à gaz). Parer le poulet. Le placer sur une plaque de four graissée, et badigeonner les blancs d'huile. Couvrir de papier d'aluminium et enfourner 15 à 20 minutes, jusqu'à ce que le poulet soit tout juste cuit. Laisser refroidir (sans réfrigérer). Détailler les blancs en 4 ou 5 lamelles dans le sens de la longueur. Cuire les pommes de terre dans de l'eau frémissante 5 à 10 minutes, jusqu'à ce qu'elles soient tendres. Les égoutter, les laisser refroidir, puis les couper en deux. Cuire les haricots dans une casserole d'eau frémissante 3 minutes, les égoutter et les plonger dans de l'eau froide. Bien les égoutter.
DRESSER le poulet, les pommes de terre et les haricots dans un saladier. Garnir de tomates émincées, de pignons et de basilic. Assaisonner et servir aussitôt.
POUR PRÉPARER L'ASSAISONNEMENT, placer tous les ingrédients dans un petit bol et bien les mélanger au fouet.

Blancs de poulet sauce crémeuse aux champignons

1/2 tasse de farine • 4 blancs de poulet • 20 g de beurre • 1 cuil. à soupe d'huile • 8 petits oignons blancs, avec 5 cm de tige • 180 g de champignons de Paris, coupés en deux • 1/2 tasse de bouillon de poulet ou d'eau • 1/2 tasse de vin blanc • 3/4 de tasse de crème fleurette • 1 à 2 cuil. à café de jus de citron • 1 cuil. à soupe de ciboulette fraîche, finement ciselée • sel et poivre noir fraîchement moulu
Pour 4 personnes

PLACER la farine dans un sac en plastique. Ajouter les blancs de poulet et secouer pour bien les enrober. Chauffer le beurre et l'huile dans une sauteuse. Y faire revenir les blancs 3 minutes sur chaque face, jusqu'à ce qu'ils soient dorés et cuits. Mettre dans un plat de service et réserver au chaud.

AJOUTER les oignons blancs et les champignons dans la sauteuse. Les faire revenir 5 minutes, jusqu'à ce qu'ils soient tendres.

INCORPORER le bouillon ou l'eau, et le vin. Porter à ébullition, baisser le feu et laisser mijoter 5 minutes à découvert, en remuant jusqu'à ce que la sauce ait réduit de moitié.

AJOUTER la crème, mélanger et laisser mijoter encore 5 minutes, jusqu'à ce que la sauce ait légèrement épaissi. Ajouter le jus de citron, la ciboulette, le sel, le poivre, et bien mélanger. Napper le poulet de sauce et servir accompagné de pâtes.

NOTE : couper les oignons blancs à quelques millimètres au-dessus du bulbe, en gardant une petite partie verte de la tige. Ils agrémentent joliment la présentation et le goût.

Salade de poulet à la mangue

1 beau poulet rôti • 2 mangues de taille moyenne • 125 g de pois mange-tout, équeutés • 1 tasse de céleri émincé • 6 oignons nouveaux, émincés • **Assaisonnement à la noix de coco :** *1/2 tasse de yaourt nature • 1/2 tasse de crème de coco • 1/4 de tasse de mayonnaise • 1/2 cuil. à café de gingembre frais râpé • 1 cuil. à café de zeste de citron fraîchement râpé • 1 petit piment rouge, finement haché (facultatif)*
Pour 4 personnes

ÔTER la peau du poulet et le désosser. Détailler la chair en lamelles. Peler et émincer les mangues. Blanchir les pois en les plongeant dans de l'eau bouillante 30 secondes. Les égoutter, puis les mettre dans de l'eau glacée et les égoutter de nouveau.
MÉLANGER poulet, mangues, pois mange-tout, céleri et oignons dans un saladier. Mettre sur un plat de service, garni de laitue et napper de sauce. Réfrigérer 30 minutes.
POUR PRÉPARER L'ASSAISONNEMENT, placer les ingrédients dans un bol et bien les mélanger.

Poulet en papillote

4 suprêmes de poulet (ou d'autres morceaux) • *2 cuil. à soupe de sauce de soja* • *2 cuil. à soupe de xérès* • *1/2 cuil. à soupe de miel clair* • *2 carottes, détaillées en bâtonnets* • *2 courgettes, détaillées en bâtonnets* • *1 petit oignon, émincé* • *2 branches de céleri, détaillées en bâtonnets* • *1 poireau, finement émincé* • *4 gousses d'ail, finement hachées* • *1 à 2 cuil. à café de gingembre frais, râpé* • *poivre noir, fraîchement moulu*
Pour 4 personnes

PRÉCHAUFFER le four à 210 °C (190 °C pour un four à gaz). Découper 4 feuilles de papier d'aluminium en carrés de 25 cm. Badigeonner chaque carré avec un peu d'huile. Parer le poulet.

MÉLANGER la sauce de soja, le xérès et le miel dans un bol. Disposer un morceau de poulet au centre de chaque feuille d'aluminium. Répartir les légumes, l'ail et le gingembre sur chaque morceau. Poivrer, napper de sauce de soja, et envelopper les morceaux de poulet en remontant les bords de la feuille d'aluminium et en les repliant pour former des papillotes.

PLACER dans un plat à four et enfourner 20 minutes. Pour vérifier la cuisson, entrouvrir les papillotes : le poulet doit être bien doré et la chair blanche. Si nécessaire, poursuivre la cuisson de 5 à 10 minutes. Servir le poulet en papillote ou non, selon le goût, éventuellement accompagné d'une salade.

Salade de poulet mariné

1 poulet moyen (1,5 kg) • 10 grains de poivre noir • 2 feuilles de laurier • 1 branche de céleri, finement détaillée • 1 carotte, finement détaillée • 1 branche de persil
• Marinade : 1/2 tasse d'huile d'olive • 2 cuil. à soupe de jus de citron • 2 cuil. à soupe de vinaigre de vin rouge • 2 feuilles de laurier • 3 cuil. à soupe de pignons • 3 cuil. à soupe de raisins secs • 1 cuil. à soupe de cassonade • sel et poivre noir
Pour 6 à 8 personnes

ÔTER l'excédent de graisse dans la cavité du poulet. Placer le poulet dans un grand faitout, ajouter les grains de poivre, les feuilles de laurier, le céleri, les carottes, le persil, et mouiller à hauteur. Porter à ébullition, baisser le feu et laisser mijoter à couvert pendant environ 50 minutes, jusqu'à ce que le poulet soit cuit.

LAISSER le poulet refroidir dans le jus de cuisson, puis le retirer. Détacher la chair de la carcasse et la détailler en morceaux de la taille d'une bouchée. Disposer les morceaux dans un saladier.

POUR PRÉPARER LA MARINADE, placer tous les ingrédients dans un bol et bien remuer. Verser la marinade sur le poulet et mélanger pour bien l'enrober. Laisser mariner au réfrigérateur, couvert, pendant au moins 24 heures. Servir garni de fines tranches de citron vert, de cresson et de feuilles de salade.

Poulet à la tomate

*1 cuil. à soupe d'huile d'olive • 1 oignon moyen, finement haché • 1 gousse d'ail, écrasée
• 3 tomates, pelées et grossièrement concassées • 6 tomates séchées en marinade à l'huile,
égouttées et finement détaillées • 4 blancs de poulet • 25 g de beurre • 3 cuil. à soupe de
vinaigre balsamique • 1/3 de tasse de crème fleurette • sel et poivre noir, à votre goût
• 1 pincée de poivre de Cayenne • 1 cuil. à soupe de cassonade*
Pour 4 personnes

CHAUFFER l'huile dans une grande poêle. Ajouter l'oignon, l'ail, et laisser cuire à feu moyen pendant environ 10 minutes, jusqu'à ce qu'ils soient tendres et bien dorés. Incorporer toutes les tomates et laisser mijoter pendant environ 5 à 10 minutes, jusqu'à ce que la préparation ait réduit. Transférer dans un saladier et laisser reposer. Essuyer soigneusement la poêle.

PARER le poulet et le détailler en fines lamelles, dans le sens des fibres. Chauffer le beurre dans la poêle et y faire revenir le poulet à feu vif puis moyen pendant environ 5 minutes, jusqu'à ce qu'il soit doré à l'extérieur, mais pas trop cuit et encore tendre. Le retirer de la poêle, et réserver au chaud.

AJOUTER le vinaigre dans la même poêle et mélanger à feu moyen pendant 1 à 2 minutes, en grattant le fond pour bien déglacer le jus. Incorporer l'oignon, la préparation aux tomates et la crème. Assaisonner de sel, poivre noir, poivre de Cayenne et sucre. Remettre le poulet dans la poêle et l'enrober de sauce. Servir accompagné de petites pommes de terre nouvelles parfumées au paprika.

Poulet en cocotte

60 g de beurre • 2 tranches de bacon, finement détaillées • 4 petits oignons, en quartiers • 2 carottes moyennes, découpées en morceaux • 1/4 de tasse de cassonade • 1 poulet moyen (1,5 kg) • 1 brin d'estragon, haché • 1 petit oignon supplémentaire, haché • 1/2 tasse de vin blanc • 1/2 tasse de bouillon de poulet • sel et poivre noir • plusieurs brins d'estragon supplémentaires, pour la garniture
Pour 4 à 6 personnes

PRÉCHAUFFER le four à 180 °C. Faire fondre la moitié du beurre dans une sauteuse puis ajouter le bacon, les oignons et les carottes. Mélanger à feu moyen pendant environ 5 à 10 minutes, jusqu'à obtention d'une belle couleur dorée. Parsemer de sucre et bien mélanger pour le dissoudre. Retirer la préparation de la sauteuse et réserver.
PARER le poulet. Le laver et le sécher. Faire fondre le beurre restant dans la sauteuse et y dorer le poulet sur toutes ses faces, à feu vif puis moyen, pendant environ 5 à 10 minutes. Mélanger l'oignon supplémentaire haché avec l'estragon et en farcir le poulet. Transférer dans une cocotte allant au four et disposer les carottes, les oignons et le bacon tout autour. Assaisonner de sel et de poivre.
VERSER le vin et le bouillon dans la sauteuse et mélanger à feu moyen pour bien déglacer la sauce. En napper le poulet et enfourner, à découvert, pendant 1 heure 15 à 1 heure 30, jusqu'à ce que le poulet soit doré et cuit. Garnir avec les brins d'estragon supplémentaires. Placer le poulet et les légumes dans un plat de service et réserver au chaud. Écumer tout excédent de graisse. Transférer le jus dans une petite casserole et le faire bouillir rapidement à feu vif environ 5 minutes, jusqu'à obtention d'une sauce onctueuse. Servir le poulet garni de légumes et de sauce.

Poulet caramélisé à l'orange

4 morceaux de poulet (suprêmes, ou hauts de cuisse) • 1 cuil. à soupe d'huile de tournesol •
1 oignon, finement émincé • 1/2 tasse de bouillon de poulet • 1 cuil. à soupe de vinaigre de
vin blanc • 2 cuil. à soupe de jus d'oranges • 1/2 cuil. à café de zeste d'orange râpé
• 1 cuil. à soupe de cassonade • sel et poivre noir
Pour 4 personnes

PARER le poulet. Préchauffer le four à 180 °C. Chauffer l'huile dans une poêle et ajouter l'oignon. Mélanger à feu moyen pendant 5 minutes, jusqu'à ce qu'il soit tendre.

INCORPORER le poulet et laisser dorer 5 minutes. Écumer tout excédent de graisse. Ajouter le bouillon, le vinaigre, le jus d'oranges et le zeste de citron. Bien mélanger à feu moyen, en grattant le fond pour déglacer la sauce.

AJOUTER le sucre, le sel et le poivre. Mélanger pour dissoudre le sucre. Laisser frémir, puis transférer dans un plat à four. Enfourner pendant 20 minutes environ, jusqu'à ce que le poulet soit bien doré et cuit.

ÔTER le poulet et réserver au chaud. Verser la sauce dans une casserole, porter à ébullition à feu moyen et laisser cuire environ 5 minutes, jusqu'à ce que la sauce ait réduit de moitié. Rectifier l'assaisonnement si nécessaire. Napper le poulet de sauce et servir accompagné de pâtes et garni de rondelles d'oranges, selon le goût.

NOTE : vérifier la cuisson du poulet en insérant une brochette dans la partie la plus charnue. Le poulet est cuit lorsque du jus clair s'en écoule. Trop cuite, la chair du poulet sera sèche et moins savoureuse.

Salade tiède de pâtes et poulet

1/4 de tasse d'huile d'olive vierge • 2 gousses d'ail, hachées • le zeste d'1 citron, détaillé en fines lamelles • 1 cuil. à soupe de jus de citron • 1/4 de tasse de basilic frais ciselé • 4 tomates moyennes, pelées, épépinées et finement détaillées • 18 olives noires, dénoyautées et émincées • 1/2 cuil. à café de feuilles d'origan frais ciselé • sel et poivre noir, fraîchement moulu • 2 tasses de pâtes « penne » • 400 g d'aiguillettes de poulet • 1 cuil. à soupe d'huile • 1/2 à 1 tasse de feuilles de roquette
Pour 6 personnes

PLACER l'huile d'olive, l'ail, le zeste et le jus de citron, le basilic, les tomates, les olives et l'origan dans un grand saladier. Assaisonner de sel et de poivre, et bien mélanger.
CUIRE les pâtes *al dente* dans une grande casserole d'eau bouillante salée. Les égoutter.
DÉTAILLER les aiguillettes en fines lamelles. Chauffer l'huile dans une sauteuse. Ajouter le poulet et laisser cuire à feu moyen, en mélangeant de temps en temps, 4 minutes environ. Égoutter et le mélanger avec les pâtes chaudes et la préparation aux tomates dans un grand saladier. Servir aussitôt, accompagné de feuilles de roquette.

En partant de la gauche : salade tiède de pâtes et poulet, poulet rôti sauce aux groseilles, blancs de poulet au bacon et au fromage.

Poulet rôti sauce aux groseilles

1 poulet moyen (1,5 kg) • *60 g de beurre* • *2 gousses d'ail, écrasées* • *1 cuil. à café de gingembre frais râpé* • *1/4 de tasse de persil frais finement ciselé* • *1 petit citron* • *1 cuil. à soupe d'huile* • **Sauce :** *2 cuil. à café de zeste de citron finement râpé* • *2 cuil. à café de zeste d'orange finement râpé* • *1/2 tasse de jus d'oranges* • *2 cuil. à soupe de jus de citron* • *3/4 de tasse de gelée de groseilles* • *1/4 de tasse de porto* • *1/2 cuil. à café de gingembre frais râpé*

Pour 4 personnes

PRÉCHAUFFER le four à 180 °C. Parer le poulet. Le laver et le sécher avec du papier absorbant. Détacher la chair juste au-dessus de la cavité, et en glissant les doigts sous la peau, former des « poches » au niveau de la poitrine.

MÉLANGER le beurre, l'ail, le gingembre et le persil. Farcir les poches de cette préparation et tasser, pour la répartir uniformément. Découper le citron en quartiers et les placer dans la cavité. Brider le poulet et le badigeonner d'huile. Mettre dans un plat.

ENFOURNER 1 heure, en arrosant de temps en temps. Il est cuit lorsque du jus clair s'en écoule (vérifier en piquant avec une brochette). Détailler le poulet en portions, et servir accompagné de légumes (pois mange-tout et courge sur notre illustration).

POUR PRÉPARER LA SAUCE, mélanger tous les ingrédients dans une petite casserole et remuer, jusqu'à obtention d'une préparation homogène. Porter à ébullition puis baisser le feu et laisser mijoter, à découvert, pendant 10 minutes. Passer dans un tamis fin et servir chaud avec le poulet.

Blancs de poulet au bacon et au fromage

4 suprêmes de poulet • *1 à 2 cuil. à café de moutarde* • *8 tranches de bacon, sans la couenne* • *4 tranches de gruyère* • *1/4 de tasse de bouillon de poulet (voir page 62)*

Pour 4 personnes

PRÉCHAUFFER le four à 210 °C (190 °C pour un four à gaz). Parer le poulet et le sécher avec du papier absorbant. Badigeonner chaque suprême d'une fine couche de moutarde. Garnir d'une tranche de bacon et la maintenir à l'aide d'un pique à cocktail.

GARNIR les suprêmes d'une tranche de fromage et les placer dans un plat à four. Napper de bouillon de poulet.

ENFOURNER 15 à 30 minutes, jusqu'à ce que le poulet soit cuit mais encore tendre. Retirer les piques à cocktail et servir accompagné de pâtes et de salade.

NOTE : le temps de cuisson dépend de la taille des suprêmes.

FEUILLETÉS ET AMUSE-GUEULE AU POULET

Champignons farcis au poulet

NETTOYER 30 petits champignons de Paris et couper les pieds au niveau du chapeau. Cuire 1 blanc de poulet. Le hacher avec 40 g de jambon. Placer le poulet et le jambon dans un saladier, et ajouter 1/4 de tasse de ciboulette hachée, 1/4 de tasse de fromage râpé, 1/4 de tasse de crème fraîche épaisse et 1 cuil. à soupe de mayonnaise. Disposer des cuillerées à café de préparation dans le chapeau de chaque champignon et bien garnir le dessus. Faire fondre 1 cuil. à soupe de beurre et en badigeonner les champignons. Parsemer de paprika. Placer sur une plaque de four. Préchauffer le four à 180 °C et enfourner 10 à 12 minutes.

Pour 30 champignons

Dans le sens des aiguilles d'une montre en partant du haut, à gauche : champignons farcis au poulet, samosas au poulet, aiguillettes de poulet frites et sauce au chutney, rumaki, boulettes de poulet sauce à la diable.

Samosas au poulet

CHAUFFER 1 cuil. à soupe d'huile dans une poêle Ajouter un petit oignon finement haché, 1 gousse d'ail écrasée, 1 cuil. à soupe de pâte de curry et 2 cuil. à café de sauce tomate. Cuire 3 minutes jusqu'à ce que la préparation soit tendre, et ajouter 125 g de poulet haché. Mélanger 5 minutes jusqu'à ce que le poulet soit cuit. Incorporer 2 cuil. à soupe de petits pois, 1 petite carotte râpée,
1 cuil. à soupe de menthe fraîche hachée et 1 cuil. à soupe de coriandre fraîche hachée. Laisser refroidir. Découper 3 feuilles de pâte feuilletée prête à étaler en 9 cercles de 8 cm chacun. Répartir la préparation au poulet sur les cercles, badigeonner les bords d'eau, les replier et les sceller. Remplir à demi une friteuse d'huile. Chauffer modérément et y frire les samosas par petites quantités, 3 à 4 minutes, jusqu'à ce qu'ils soient bien dorés. Les égoutter sur du papier absorbant. Servir chaud, accompagné de chutney.

Pour 27 samosas

Aiguillettes de poulet frites et sauce au chutney

DÉTAILLER 375 g d'aiguillettes de poulet en lamelles de 5 cm. Dans un plat, mélanger 1 tasse 1/2 de chapelure, 1/2 tasse de parmesan frais râpé et 2 cuil. à soupe de persil finement haché. Battre 2 œufs dans un bol. Mettre 1/2 tasse de farine dans un sac en plastique et ajouter le poulet. Secouer pour bien l'enrober. Ôter l'excédent. Tremper les aiguillettes dans l'œuf battu puis dans la chapelure. Placer sur une plaque et réfrigérer 1 heure. Remplir à demi une friteuse d'huile et chauffer modérément. Frire les aiguillettes par petites quantités, 2 à 3 minutes. Les égoutter sur du papier absorbant et les réserver au chaud au fur et à mesure. Servir accompagné de sauce au chutney. **Pour préparer la sauce au chutney,** mélanger 1/2 tasse de chutney aux fruits, 2 cuil. à soupe de mayonnaise, 2 cuil. à café de sauce pimentée douce, le jus et le zeste d'une orange et 2 cuil. à café de gingembre frais râpé.

Pour environ 32 aiguillettes

Rumaki

NETTOYER 10 foies de poulet et les couper en deux. Les tremper dans de l'eau froide 30 minutes. Dans un bol, mélanger 1/4 de tasse de sauce de soja légère, 1 cuil. à soupe de miel, 2 cuil. à café de xérès et 1 cuil. à café de gingembre frais râpé. Incorporer les foies égouttés et laisser mariner 30 minutes. Égoutter 230 g de châtaignes d'eau en conserve. Ôter la couenne de 6 tranches de bacon et les détailler en quartiers. Rouler les foies et les châtaignes dans le bacon et maintenir chaque bouchée à l'aide d'une pique à cocktail. Préchauffer le gril à température moyenne et le couvrir de papier d'aluminium. Y disposer les rumakis et les cuire 10 à 12 minutes, en les retournant fréquemment, jusqu'à ce que le bacon soit croustillant.

Pour environ 24 rumakis

Boulettes de poulet sauce à la diable

MÉLANGER dans un saladier 375 g de chair de poulet hachée, 4 oignons nouveaux hachés, 1 tasse de mie de pain frais, émiettée, 1 œuf battu, 1/4 de cuil. à café de sel et 1/4 de tasse de menthe fraîche hachée. Avec les mains humides, former 24 boulettes de la taille d'une noix et les réfrigérer 30 minutes. Remplir à demi une friteuse d'huile et la faire chauffer. Rouler les boulettes dans la farine. Les frire, par petites quantités, 3 à 4 minutes, jusqu'à ce qu'elles soient bien dorées. Les égoutter. Servir chaud accompagné d'une sauce, et avec des piques à cocktail. **Pour préparer la sauce à la diable,** chauffer 2 cuil. à soupe de beurre, ajouter 2 oignons nouveaux hachés et laisser cuire jusqu'à ce qu'ils soient tendres. Ajouter 1 cuil. à café de poudre de curry, 1 cuil. à soupe de jus de citron et 3/4 de tasse de sauce tomate. Laisser mijoter 2 minutes, puis incorporer une cuil. à soupe de persil frais haché et 1 cuil. à soupe de menthe fraîche hachée.

Pour environ 24 boulettes

Poulet sauté à la thaïlandaise

3 champignons chinois séchés • 300 g de blancs de poulet • 2 cuil. à soupe d'huile
• 2 gousses d'ail, écrasées • 1 cuil. à soupe de gingembre finement émincé • 1 à 2 petits
piments rouges, épépinés et finement hachés • 1 oignon, détaillé en quartiers • 150 g de
haricots verts, coupés en petits morceaux • 1/2 poivron rouge, finement émincé • 2 cuil. à
soupe de sauce d'huîtres • 2 cuil. à soupe de sauce de poisson • 1 cuil. à café de cassonade
• 2 cuil. à soupe de coriandre fraîche ciselée
Pour 4 personnes

FAIRE TREMPER les champignons dans un saladier d'eau tiède pendant 30 minutes.
Les sécher, ôter et jeter les pieds et les émincer finement.
DÉCOUPER les blancs de poulet en petites lamelles fines. Chauffer 1 cuil. à soupe
d'huile dans un wok (ou, à défaut, une sauteuse), à feu vif puis moyen. Ajouter l'ail, le
gingembre et les piments, et les laisser cuire 30 secondes sans les laisser brunir. Ajouter le
poulet détaillé. Augmenter le feu et faire revenir le poulet jusqu'à ce qu'il soit doré.
TRANSFÉRER le poulet dans un plat. Chauffer le reste d'huile dans le wok. Incorporer
l'oignon, les haricots, le poivron et les champignons. Les faire revenir 3 à 4 minutes, ajouter le poulet. Napper du mélange de sauce d'huîtres, de sauce de poisson et de cassonade.
FAIRE REVENIR la préparation encore 2 minutes, jusqu'à ce qu'elle soit bien réchauf-
fée. Parsemer de coriandre et servir, éventuellement accompagné de nouilles.

Ballottine de poulet

1 beau poulet (1,8 kg), désossé • 90 g de beurre • 4 oignons nouveaux, finement hachés • 3 tranches de bacon, sans la couenne, finement détaillées • 300 g de chair de poulet, hachée • 200 g de chair à saucisse • 1 tasse de farce à poulet prête à l'emploi • 1/2 tasse de pistaches décortiquées • 1 œuf, légèrement battu • 1 cuil. à soupe d'huile
Pour 6 à 8 personnes

LAVER le poulet et le sécher avec du papier absorbant. Replier les cuisses et les ailes à l'intérieur. Le disposer, chair en haut, sur un plan de travail.

CHAUFFER 60 g de beurre dans une poêle. Ajouter les oignons, le bacon, et laisser cuire 2 à 3 minutes. Les placer dans un saladier, puis incorporer la chair de poulet, la chair à saucisse, la farce, les pistaches et l'œuf. Bien mélanger. Préchauffer le four à 180 °C.

FARCIR l'intérieur du poulet avec la préparation. Replier les extrémités, puis rouler les côtés pour former un rôti. Maintenir les extrémités et le centre en les cousant. Ficeler la ballottine à 5 cm d'intervalle pour qu'elle garde sa forme durant la cuisson. La placer dans un plat et badigeonner avec l'huile mélangée au reste de beurre.

ENFOURNER 1 heure 15 environ, en arrosant régulièrement la ballottine avec le jus de cuisson. Elle est cuite lorsque, piquée avec une brochette, du jus clair s'en écoule. Ôter la ficelle et les fils avant de servir. Découper la ballottine en tranches et servir chaud ou froid, éventuellement accompagné de salade et de chutney.

NOTE : la ballottine de poulet compose un plat idéal pour un pique-nique ou un buffet. Le poulet peut être désossé par votre boucher.

LE BOUILLON DE POULET ET LA SAUCE DU POULET RÔTI

Le bouillon de poulet

De nombreuses recettes de ce livre se préparent avec du bouillon de poulet. Dans le commerce, on en trouve du tout prêt, congelé, en cubes, en sachets ou en conserve. Mais il va sans dire que le bouillon fait maison est le meilleur ! De plus, il est très simple à préparer.

Tout d'abord, il faut une carcasse de poulet, que vous pouvez vous procurer chez le boucher si vous ne venez pas de cuisiner une volaille. On y ajoutera des abattis d'un poulet rôti ou cru pour d'avantage de saveur .

Vous pouvez réfrigérer ou congeler le bouillon selon les quantités qui vous conviennent, et ce jusqu'à huit semaines. Par exemple, vous pouvez remplir des cubes à glaçons de bouillon, et en utiliser de petites quantités pour cuisiner une sauce, ou pour aromatiser la purée de légumes de bébé... Pour les recettes telles que les soupes ou les ragoûts, qui nécessitent beaucoup de bouillon, dosez des tasses de bouillon avant de le verser dans des récipients en plastique, que vous étiquetterez avant de le congeler.

La recette que nous vous proposons est particulièrement savoureuse car nous utilisons des os de poulet préalablement dorés au four. Si vous désirez un bouillon au goût moins prononcé, ne cuisez pas les os.

La recette

Pour 1,5 litre de bouillon de poulet : préchauffer le four à 180 °C. Placer 1,5 kg d'os de poulet et 2 beaux oignons non pelés, grossièrement hachés, dans un plat à four. Enfourner pendant 50 minutes, jusqu'à obtention d'une belle couleur dorée. Transférer les os et les oignons dans un grand faitout ou une cocotte. Préparer un bouquet garni avec un brin de persil, un brin de thym, et une feuille de laurier séchée, enveloppés

Placer les oignons hachés et les os de poulet dans un plat à four.

Transférer l'ensemble dans un grand faitout et ajouter le reste des ingrédients.

dans une petite mousseline. Hacher 2 carottes et 2 branches de céleri (avec les feuilles), et les mettre dans le faitout avec le bouquet garni. Ajouter 12 grains de poivre noir et 3 litres d'eau. Porter à ébullition, puis baisser le feu et laisser mijoter, à découvert, pendant 3 heures. Il vaut mieux laisser le bouillon cuire à feu très doux, pour qu'il reste clair. De temps en temps, écumer la surface avec une écumoire ou une grande cuillère (ce n'est pas grave si on enlève un peu de bouillon : il suffit de rajouter l'équivalent en eau).

Lorsque le bouillon a bien mijoté, l'égoutter dans une fine passoire puis ôter les os et les légumes.

Laisser le bouillon refroidir en le transférant dans un autre récipient et en le remuant fréquemment. Le réfrigérer ou le congeler, en fonction des quantités prévues pour des recettes. Après avoir réfrigéré le bouillon, écumer et ôter toute couche de graisse en surface, puis l'employer selon les indications des recettes.

La sauce du poulet rôti traditionnelle

Il est très facile de cuisiner une sauce délicieuse ! Vous pourrez également agrémenter la sauce avec un peu de vin blanc, du marsala, des herbes fraîches ciselées ou quelques champignons. Conservez le reste de sauce dans un récipient distinct, au réfrigérateur.

La recette (pour 4 à 6 personnes) : parsemer une plaque de four de 2 cuil. à soupe de farine, en couche uniforme. Placer sous un gril chaud jusqu'à ce qu'elle soit légèrement dorée. Ajouter cette farine au jus de cuisson d'un poulet rôti, et faire mijoter la sauce, à feu doux, 2 minutes. Ajouter peu à peu 3/4 de tasse de bouillon de poulet, en remuant jusqu'à ce que la sauce devienne lisse. Mélanger constamment, à feu moyen, environ 5 minutes, jusqu'à ébullition et épaississement. Laisser bouillir encore 1 minute, puis retirer du feu. Verser dans une saucière, et présenter avec le poulet rôti.

Fariner une plaque de four et passer au gril jusqu'à ce que la farine soit dorée.

Incorporer peu à peu le bouillon au jus de poulet rôti mélangé à la farine.

INDEX

CONSEILS PRATIQUES

Les mesures utilisées sont
les grammes et les litres.
Les tasses servant d'unité de mesure
ont un contenu de 250 ml.
Une tasse ou un bol équivaut à 250 ml.
Les œufs utilisés dans les recettes
pèsent en moyenne 60 g.
Le contenu des boîtes de conserves
dans les commerces varie,
prenez donc la taille s'approchant
de celle utilisée dans nos recettes.

Mesures et abréviations

Tasse = 250 ml

Cuil. à soupe = 20 ml

Cuil. à café = 5 ml

g = gramme

kg = kilogramme

ml = millilitre

l = litre

Copyright © Murdoch Books 1995
213 Miller Street, North Sydney, NSW 2060, Australie

Titre original : *Chicken Recipes*

Copyright © 1998 pour l'édition française
Könemann Verlagsgesellschaft mbH
Bonner Str. 126, D-50968 Cologne

Traduction : Anouk Journo, St. Cloud
Lecture : Roxanne Camporeale, Cologne
Réalisation : Cosima de Boissoudy, Paris
Chef de Fabrication : Detlev Schaper
Impression et reliure : Sing Cheong Printing Co. Ltd.
Imprimé à Hong Kong (Chine)
ISBN : 3-8290-0052-9